W9-CSK-987

HOUGHTON MIFFLIN

Lectura

★ California ★

Horizontes

Autores principales
Principal Authors
Dolores Beltrán
Gilbert G. García

Autores de consulta
Consulting Authors
J. David Cooper
John J. Pikulski
Sheila W. Valencia

Asesores
Consultants
Yanitzia Canetti
Claude N. Goldenberg
Concepción D. Guerra

HOUGHTON MIFFLIN
Lectura
Herencia y futuro

HOUGHTON MIFFLIN   BOSTON

Front cover and title page photography by Tony Scarpetta.

Front and back cover illustrations by Karen Dugan.

Acknowledgments begin on page 348.

Copyright © 2003 by Houghton Mifflin Company. All rights reserved.

No part of this work may be reproduced or transmitted in any form or by any means, electronic or mechanical, including photocopying and recording, or by any information storage or retrieval system without the prior written permission of the copyright owner, unless such copying is expressly permitted by federal copyright law. With the exception of nonprofit transcription in Braille, Houghton Mifflin is not authorized to grant permission for further uses of copyrighted selections reprinted in this text without the permission of their owners as identified herein. Address requests for permission to make copies of Houghton Mifflin material to School Permissions, Houghton Mifflin Company, 222 Berkeley Street, Boston, MA 02116.

Printed in the U.S.A.

ISBN: 0-618-23867-0

456789-VH-11 10 09 08 07 06 05 04 03

Animales en su medio

10

Dos días en mayo
por Harriet Peck Taylor
ilustrado por Leyla Torres

*ficción
realista*

Biblioteca del lector

- Queridas mariposas
- Enrique y el zorro
- El elefante patas arriba

Libros del tema

Cocorota y compañía
*por Javier López
Rodríguez
ilustrado por María
Antonia Cortijos*

El fascinante mundo de las hormigas
*por María Angels
Julivert
ilustrado por
Marcel Socías*

El zoo de verano
*por Isabel Córdoba
ilustrado por Marina
Seoane*

Contenido
Tema 5

Jornadas

Por el inmenso mar oscuro
El viaje del Mayflower
Jean Van Leeuwen
ilustrado por Thomas B. Allen

*ficción
histórica*

El viaje de
Yunmi y Halmoni
Sook Nyul Choi
ilustrado por Karen Dugan

*ficción
realista*

¡Atrapados
por el hielo!
por Michael McCurdy

*narrativa
realista*

Tomar pruebas

Biblioteca del lector

- La tierra dorada
- Los hermanos son para siempre
- El iceberg del rescate

Libros del tema

El viaje de Viento Pequeño
por Concha López Narváez y Carmelo Salmerón ilustrado por Rafael Salmerón López

Los farolitos de Navidad
por Rodolfo Anaya ilustrado por Edward Gonzales

Iván, el aventurero
por Maite Carranza ilustrado por Imma Pla

Biografía

Soluciones brillantes

236

ficción
realista

Biblioteca del lector

- Tony el alto
- Un poco más picante no hace daño
- El clavado

Libros del tema

Laura y el ratón
por Vicente Muñoz Puelles
ilustrado por Noemí Villamuza

Óscar y el león de Correos
por Vicente Muñoz Puelles
ilustrado por Noemí Villamuza

La ciudad que tenía de todo
por Alfredo Gómez Cerdá
ilustrado por Teo Puebla

Animales en su medio

Oso polar

Oso polar.
Todo un señor.
—¿Qué tal te va?
—Mucho calor...

por J. González Estrada

Animales en su medio

Contenido

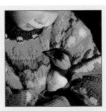

Biblioteca del lector

- **Queridas mariposas**
- **Enrique y el zorro**
- **El elefante patas arriba**

Libros del tema

Cocorota y compañía
por Javier López Rodríguez
ilustrado por María Antonia Cortijos

El fascinante mundo de las hormigas
por María Angels Julivert
ilustrado por Marcel Socías

El zoo de verano
por Isabel Córdoba
ilustrado por Marina Seoane

Libros relacionados

Si te gusta...

Las noches de los frailecillos
por Bruce McMillan

Entonces lee...

Don Sabino, el Murciélago de la ciudad

por Laura Navarro
(Bat Conservation International, Inc.)

Un viejo murciélago sabio de ciudad se hace amigo de dos murciélagos de bosque perdidos y los ayuda.

Taruga la tortuga

por Ariane Chottin
(Rialp)

Una tortuga aprende a aceptar los beneficios de su caparazón.

Si te gusta...

La foca surfista
por Michael Foreman

Entonces lee...

Las costas

por Michael Chinery (Everest)

Explora los hábitats y las vidas de los animales que viven en las costas.

El elefante

por Derek Hall (Anaya)

Observa de cerca la vida y el hábitat de un elefante joven.

Si te gusta...

Dos días en mayo
por Harriet Peck Taylor

Dos días en mayo
por Harriet Peck Taylor
ilustrado por Leyla Torres

Entonces lee...

¿Hay algo más grande que una ballena azul?
por Robert E. Wells (Juventud)
Se compara el inmenso tamaño del universo con el animal más grande de la tierra: la ballena azul.

El guepardo: Rápido como el relámpago
por Philippe Dupont (Milan)
Sigue de cerca a los leopardos en su hábitat natural.

Tecnología

En Education Place
Añade tus informes de estos libros o lee los informes de otros estudiantes.

Education Place®

Visita www.eduplace.com/kids

15

Desarrollar conceptos

Las noches de
los frailecillos
por Bruce McMillan

Las noches de los frailecillos

Vocabulario

aventurarse
costa
despobladas
instintivamente
lanzarse
madrigueras

Estándares

Ciencias
- Diferentes formas de vida o ambientes

Islandia

Explora Islandia

Islandia es un país que es una isla del helado océano Atlántico Norte. Sin embargo, sólo una pequeña parte de la isla está cubierta de hielo. De hecho, la gente y los animales de Islandia disfrutan plenamente de las cuatro estaciones del año. En junio, el sol de verano brilla prácticamente las veinticuatro horas del día.

La mayoría de los islandeses vive en pueblos a lo largo de la costa, de modo que conocen muy bien el mar.

En Islandia y en las diminutas islas despobladas de los alrededores, muchas aves marinas vienen a la costa para anidar en las madrigueras que hay allí.

Las aves saben instintivamente que la zona costera es perfecta para lanzarse al mar en busca de peces. Muchos islandeses disfrutan viendo a estos pájaros aventurarse hacia el mar desde sus nidos. Descubre más mientras lees la próxima selección.

Conozcamos al autor y fotógrafo

Bruce McMillan

Cuando Bruce McMillan quiere ver pájaros, sale de viaje alrededor del mundo. Ha fotografiado frailecillos en Islandia, pingüinos en la Antártida y flamencos en una isla del Caribe. Es posible que nunca veas a esos pájaros tan interesantes en tu jardín, pero ahora, gracias a McMillan, los podrás ver en tu biblioteca.

McMillan recibió su primera cámara cuando tenía apenas cinco años. Escribir libros lo hace "sentirse feliz". ¡Ésta parece una buena razón para seguir escribiéndolos!

Otros libros: *Penguins at Home*   *Wild Flamingos*
                   Summer Ice   *My Horse of the North*

Para aprender más acerca de Bruce McMillan, visita Education Place. **www.eduplace.com/kids**

Las noches de los frailecillos

por Bruce McMillan

¿Qué son las noches de los frailecillos y por qué son importantes? Al leer, **evalúa** cómo describe el autor este acontecimiento fascinante.

Isla Heimaey [JEI-mai-ey], Islandia
abril

Halla [JAT-la], esta niña islandesa, mira atentamente el cielo todos los días. Desde lo alto de un acantilado ve el primer frailecillo de la temporada y susurra: *Lundi* [Lun-d], que significa "frailecillo" en islandés.

De pronto, el cielo se llena de pájaros: frailecillos y más frailecillos por todos lados. Millones de estas aves regresan luego de pasar el invierno en el mar. Vuelven a la isla en que vive Halla, y a otras islas despobladas cercanas, para poner huevos y criar a sus pichones. Es la única temporada que pasan en la costa.

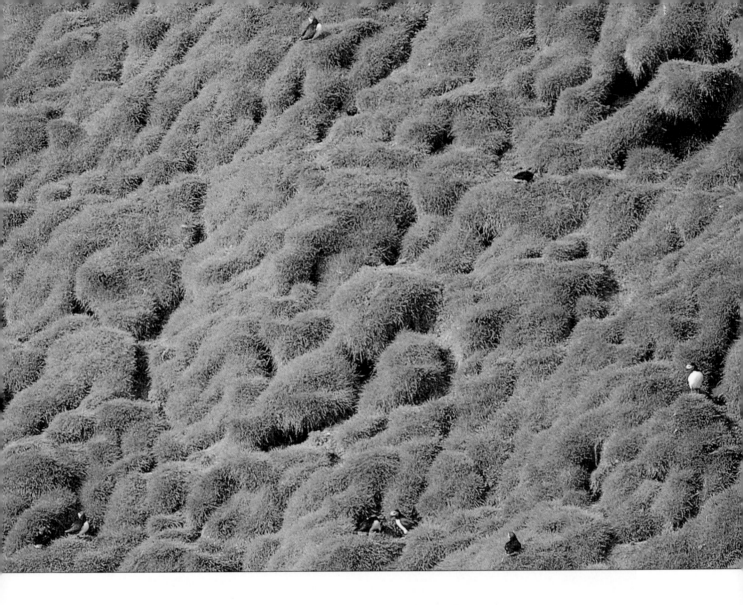

Mientras Halla y sus amigos van a la escuela que está al pie de los acantilados, los frailecillos siguen llegando. Estos "payasos del mar" regresan a las mismas madrigueras año tras año. Cuando llegan, se dedican a preparar sus nidos subterráneos. Halla y todos los demás niños de Heimaey esperan y sueñan con las noches de los frailecillos, que están por llegar.

Durante los fines de semana, Halla y sus amigos trepan por los acantilados para observar a las aves. Allí pueden ver a las parejas de frailecillos frotando sus picos mutuamente: *tic-tic-tic*. Muy pronto, cada una de esas parejas va a encargarse de cuidar un huevo. Ese huevo estará bien oculto en el acantilado y un pichón nacerá. Ese pichón se transformará en un frailecillo joven. Entonces emprenderá su primer vuelo. Las noches de los frailecillos llegarán pronto.

Durante el verano, mientras Halla chapotea en el agua fría del mar, los frailecillos también chapotean. La zona del mar que rodea el acantilado se llena de frailecillos que flotan en las olas. Muchos de esos frailecillos son jóvenes, igual que Halla. Los frailecillos mayores se alejan más de la costa, donde la pesca es mejor. Los frailecillos adultos tienen que atrapar muchos peces, porque ahora que es verano deben alimentarse a sí mismos y a sus crías.

Un amigo de Halla, llamado Arnar Ingi [AT-nar IN-gui], espía el
vuelo de un frailecillo. Cuando lo ve regresar con el pico repleto de
pescado, él murmura "Fisk". Los pichones ya han salido del
cascarón, y sus padres les traen pescado para alimentarlos. Todavía
faltan algunas semanas para la llegada de las noches de los
frailecillos, pero Arnar Ingi ya está pensando en preparar algunas
cajas de cartón.

Halla y sus amigos nunca ven a los pichones, porque están
siempre escondidos en los túneles largos y oscuros de sus
madrigueras y no salen al exterior. Solamente los padres pueden
verlos. Pero cuando los pichones tienen hambre, Halla y sus
amigos los oyen pedir comida: "*pío-pío-pío*". Sus padres tienen
que alimentarlos, en ocasiones hasta diez veces por día, llevándoles
peces en sus picos.

A lo largo del verano, los frailecillos adultos se dedican a pescar y a cuidarse las plumas. Ya en agosto, una alfombra de *baldusbrá* cubre sus madrigueras. Cuando el *baldusbrá* florece, Halla sabe que la espera ha terminado. Los pichones escondidos se han transformado en frailecillos jóvenes y por fin están listos para volar y aventurarse a la noche. Llegó el momento tan esperado.

    Llegó el momento en que Halla y sus amigos sacan sus cajas y linternas para las noches de los frailecillos. A partir de esa noche, y durante las dos semanas siguientes, los frailecillos emprenderán su viaje hacia el mar, donde pasarán el invierno. Halla y sus amigos pasarán cada noche buscando a los frailecillos perdidos que no llegan al agua. Pero los perros y gatos del pueblo también estarán al acecho. Será una carrera para ver quién encuentra primero a los frailecillos. A las diez en punto, las calles de Heimaey están llenas de niños entusiasmados.

   Los frailecillos abandonan sus madrigueras en la oscuridad de
la noche para emprender su primer vuelo. Parten en un viaje corto,
batiendo sus alas desde los altos acantilados. La mayoría de los
frailecillos logra llegar a salvo al mar. Pero algunos de ellos se
pierden, confundidos por las luces del pueblo. Tal vez creen que las
luces son rayos de luna reflejados en el mar. Por eso, cientos de
frailecillos se estrellan en el pueblo cada noche. Incapaces de alzar
vuelo desde el piso, intentan esconderse donde pueden. El peligro
los acecha. No sólo deben esconderse de los gatos o perros, sino de
los carros y camiones que también los pueden atropellar.

Halla y sus amigos se lanzan al rescate. Recorren todo el
pueblo equipados con linternas. Buscan en lugares oscuros.
Halla grita "frailecillo pichón" en islandés: "¡Lundi pysja!"
[LUN-di PIS-ya] Encontró a uno. Cuando el frailecillo sale de su
escondite, ella lo persigue, lo recoge y lo acurruca entre sus brazos.
Arnar Ingi logra atrapar a otro frailecillo. Mientras los niños ponen
algunos frailecillos a salvo dentro de las cajas de cartón, más
frailecillos aterrizan en los alrededores. "¡Lundi pysja! ¡Lundi pysja!"

Durante dos semanas, todos los niños de Heimaey duermen hasta tarde durante el día, para así poder salir durante la noche y rescatar a miles de frailecillos perdidos. Hay frailecillos por todas partes y también muchos voluntarios dispuestos a dar una mano, aunque los pajaritos les pellizquen instintivamente los dedos. Cada noche Halla y sus amigos llevan a casa a los frailecillos rescatados. Al día siguiente los ayudan a continuar su camino. Halla se reúne con sus amigos y juntos van a la playa, con sus cajas repletas de frailecillos.

Llegó la hora de liberar a los frailecillos. Halla libera al primero. Lo sostiene bien alto para que se acostumbre a mover las alas. Luego, lo acomoda entre sus manos y cuenta: "Einn–tveir–ÞRÍR!" [AIT-T-vair-TRIR] mientras lo balancea tres veces entre sus piernas. El tercer impulso es el más fuerte, para que el frailecillo alcance la altura suficiente para lanzarse a volar sobre el mar. Como es apenas su segundo vuelo, sólo vuela una corta distancia antes de caer en el agua.

Día tras día, los frailecillos de Halla se adentran al mar. Así terminan las noches de los frailecillos hasta la próxima temporada. Halla se despide de los últimos frailecillos, jóvenes y adultos, que van a pasar el invierno en el mar. Les desea buen viaje y les dice "¡Adiós, adiós!" en islandés. Bendito seas.

Las noches de
los frailecillos
por Bruce McMillan

Piensa en la selección

1. ¿Por qué crees que a los frailecillos les llaman "payasos del mar"?

2. ¿Por qué crees que los niños liberan a los frailecillos en el mar en vez de mantenerlos como mascotas?

3. ¿Qué es lo que más te gustaría hacer si fueras a la isla Heimaey durante las noches de los frailecillos? ¿Por qué?

4. ¿Qué hace que las noches de los frailecillos sean fascinantes? Describe un suceso que esperes cada año.

5. Explica por qué Bruce McMillan pudo haber querido escribir un libro sobre los frailecillos.

6. **Conectar/Comparar** ¿Cómo cambiaron los humanos el hábitat de los frailecillos? Describe otras maneras en que la gente pudo haber resuelto el problema de los frailecillos.

Persuadir

Haz un folleto turístico

Haz un folleto para viajeros que quieran visitar la isla Heimaey. Describe el ambiente y los animales de la isla. Luego, escribe sobre las actividades que los visitantes podrían disfrutar allí. Haz dibujos para ilustrar tu folleto.

Bienvenido
a la
isla
Heimaey

Consejos

- **Para comenzar, escribe una lista de todo lo que quieres describir en tu folleto.**

- **Observa algunos folletos turísticos reales para tomar algunas ideas.**

Lectura Identificar datos importantes
Escritura Escribir descripciones

Ciencias

Dibuja el diagrama de un hábitat

Haz un diagrama de la isla Heimaey. Rotula los acantilados, el mar y el pueblo. Luego, dibuja flechas para mostrar el viaje de un frailecillo desde que es un pichón hasta que se convierte en adulto. Enumera los pasos del trayecto de un frailecillo. Escribe una descripción corta de cada paso.

Observar

Estudia las fotografías

Observa de cerca las fotos de frailecillos de las páginas 25 y 26. Luego, úsalas para escribir la descripción de un frailecillo. Describe el aspecto del frailecillo de arriba abajo. Escribe detalles de su cabeza, pico, cuerpo y patas.

Extra **Para evaluar qué tan buena es tu descripción, dásela a alguien que jamás haya visto un frailecillo. Pídele a esa persona que dibuje un frailecillo basándose en tu descripción.**

Internet

Publica una reseña

¿Qué tan bien crees que el autor contó la historia? ¿Te gustaron sus fotografías? Comparte tu opinión escribiendo una crítica en Education Place. **www.eduplace.com/kids**

Conexión con las ciencias

Destreza: Cómo examinar, preguntar, leer y repasar

❶ Mira, o **examina** el título, los encabezados, las leyendas y las fotos.

❷ Hazte **preguntas** acerca de lo que has examinado.

❸ Después de leer, **repasa** tus preguntas para ver si puedes responderlas.

Estándares

Lectura

• **Identificar información en el texto**

• **Aplicar conocimientos previos**

• **Identificar datos importantes**

Ciencias

• **Diversas formas de vida**

Aves en la Gran Manzana

¿Cientos de tipos distintos de aves silvestres en la ciudad de Nueva York? ¡Creíamos que nuestro maestro estaba chiflado!

Por Radha Permaul con Arthur Morris
Fotografías de Arthur Morris

"¡Es imposible!" le dije a mi maestro, el Sr. Morris. Él acababa de decirnos que hay cientos de tipos distintos de aves silvestres en la Gran Manzana. (Así es como a veces la gente llama a la ciudad de Nueva York). Claro, yo he visto unas pocas especies en mi barrio. Pero ¿*cientos* de tipos? No lo creo.

Luego el Sr. Morris nos sorprendió preguntándonos: "¿Les gustaría ir conmigo algún día a observar aves con binoculares?" Yo estaba realmente entusiasmado, porque me gusta salir de paseo con mis amigos.

Excursión por el Parque Central

En un brillante día de primavera, los cinco tomamos el tren subterráneo hacia el Parque Central de Nueva York. Lo primero que notamos fueron petirrojos sacando lombrices del suelo húmedo. Luego, comenzamos a ver montones de hermosas reinitas o chipes (pájaros pequeños y coloridos).

El Sr. Morris nos dijo que algunas aves no permanecen en el Parque Central. "Muchas sólo se detienen aquí para alimentarse y descansar", explicó el Sr. Morris. "Luego seguirán volando hacia el norte. Algunas volarán otras mil millas hasta Canadá".

¡*Eso* era algo totalmente increíble!

Ésa soy yo (Radha) con Nelson y Tanya detrás de mí. ¡Estábamos asombrados al ver un simpático *chipe encapuchado* y un *gorrión gorjiblanco* (página siguiente) allí mismo, en la ciudad de Nueva York!

reinita encapuchada

gorrión gorjiblanco

tangara escarlata

ibis lustroso

¿Dónde está ese pajarito?

"Presten atención, niños", dijo el Sr. Morris con voz seria. "Ayúdenme a buscar algo realmente especial".

Estaba apuntando en su libro a un pájaro negro y rojo llamado tangara escarlata. "Este pajarito vuela una enorme distancia desde Sudamérica y, a veces, se detiene a descansar en el parque".

Habíamos visto muchas aves interesantes, pero ninguna tangara escarlata. Más tarde, luego de cruzar un pequeño arroyo, Jamie susurró: "Acabo de ver algo rojo en aquel árbol. Está en esa rama bajo el sol. ¿Lo ven?"

Yo levanté mis binoculares y supe en ese momento que eso debía ser una tangara escarlata. Sus plumas rojas eran más brillantes en la vida real que en el libro. "Muy bien, Jamie", dijo el Sr. Morris con una sonrisa.

Jay Bay... ¡Hurra!

Un par de semanas más tarde fuimos a Jay Bay [JEI-BEI]. Eso es lo que el Sr. Morris llama el refugio de la vida silvestre de Bahía de Jamaica. Seguimos el sendero que lleva a la Laguna Oeste.

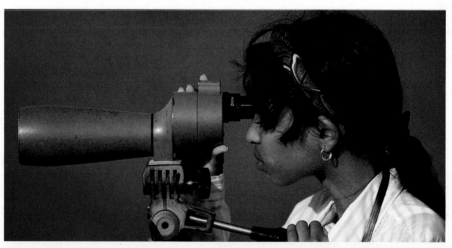

Yo observé a un *ibis lustroso* a través de un telescopio.

Yo oía una y otra vez el extraño canto de pájaro que sonaba así: "¡Con-ca-rí, con-ca-rí!" Quería saber qué era lo que estaba emitiendo el sonido. Por fin, vi a un pájaro negro, con algo de rojo en sus alas. Era el que estaba cantando esa extraña canción.

El Sr. Morris me prestó entonces su libro de investigador, un libro de aves llamado guía práctica. Mi tarea fue averiguar el nombre del pájaro. Encontré una página repleta de pájaros oscuros y allí estaba. "Lo tengo", dije. "Es un tordo sargento".

Todo era tan bello que mi barrio parecía estar a mil millas de distancia. Y también fue un buen comienzo para comprender que es posible que haya cientos de tipos diferentes de aves en la Gran Manzana.

Observar aves en la ciudad

Si vives en una gran ciudad y quieres observar aves, he aquí lo que puedes hacer: pregunta por un centro de naturaleza o un museo de ciencias, que son los mejores lugares para observar pájaros. Luego, ve a una biblioteca para conseguir una guía práctica. Estúdiala. Pide prestados unos binoculares. Luego, visita un sitio para observar aves con tus padres o amigos.

Informe de investigación

Un informe de investigación presenta datos sobre un tema y proporciona detalles para apoyar esos datos. Usa esta muestra de escritura como modelo cuando escribas tu propio informe de investigación.

Las tortugas bobas

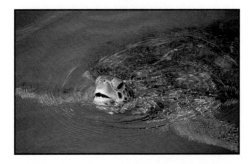

Las **oraciones principales** introducen el informe.

La tortuga boba es un reptil. Tiene un cuello grueso y recto, piel arrugada y una caparazón dura. La cabeza es ancha y la boca está formada por dos mandíbulas en forma de gancho. A pesar de que la tortuga boba tiene un caparazón para protegerse, es un animal en peligro de extinción.

La tortuga boba es una gran tortuga marina y tiene aletas para nadar y trasladarse. Su piel es de un color entre verde claro y verde

Escritura Oración principal

oscuro, y su caparazón es marrón rojizo. Una tortuga boba adulta puede pesar más de 880 libras y mide aproximadamente tres pies y medio de largo. Tiene mandíbulas muy fuertes, las cuales usa para romper los caparazones de almejas, caracolas y crustáceos de los que se alimenta.

La tortuga boba vive en las zonas subtropicales del océano Atlántico, el mar Mediterráneo, el Mar Negro y los océanos Pacífico e Índico. En los Estados Unidos, visita normalmente las costas de Florida y Carolina del Sur.

Cuando la hembra alcanza la costa, va a la playa a poner huevos. Cava un hueco para almacenar aproximadamente 100 huevos. La hembra puede poner entre 64 y 200 huevos. Las tortuguitas que salen del cascarón son de aproximadamente cuatro pulgadas y media de largo. Cuando son lo suficientemente grandes,

Un buen informe proporciona **detalles** para apoyar los datos.

Aquí vemos algunas tortuguitas dirigiéndose hacia el mar.

dejan la arena para dirigirse hacia el mar.

La contaminación, los cazadores, los derrames de petróleo y las mallas para pescar camarones son algunos de los enemigos de las tortugas. La gente puede ayudar a protegerlas evitando tirar en la playa o el mar bolsas de plástico o los anillos de plástico que sujetan las latas de refrescos. Si se botan estos artículos sin cuidado, las tortugas se pueden estrangular. La gente también puede ayudar a salvar a las tortuguitas colocando vallas para protegerlas cuando están dirigiéndose al mar.

Las tortugas bobas han estado en la Tierra por mucho tiempo. Si las protegemos, podemos hacer que desaparezcan de la lista de animales en peligro de extinción.

Una buena **conclusión** resume el informe.

Aquí alguien está ayudando a proteger un nido de tortuga.

42

Lista de fuentes

The Grolier Student Encyclopedia of Endangered Species. Vol IX. 1995.

Endangered Wildlife of the World. Vol 9. Marshall Cavendish Corp. 1993.

Gibbons, Gail. *Sea Turtles.* Holiday House, New York. 1995.

La **lista de fuentes** nos dice de dónde vienen los datos.

Conozcamos al autor

Mark F.
Grado: tercero
Estado: Massachusetts
Pasatiempos: fútbol y fútbol americano
Qué quiere ser cuando sea mayor: jugador de fútbol americano o dentista

La foca
surfista
por Michael Foreman

La foca surfista

Vocabulario

- abatirse
- azotar
- disfrutar
- horizonte
- muelle
- olas
- surf

Estándares

Lectura

- Identificar información en el texto
- Identificar respuestas en el texto

En la orilla del mar

La orilla del mar es donde la tierra se encuentra con el océano. Hay muchas maneras de disfrutarla. Después de **disfrutar** del cálido sol, puedes hacer **surf** en el oleaje o flotar en las **olas** del mar. En un día fresco, voltéate hacia el mar y déjate **azotar** por los fuertes vientos.

A lo largo de ciertas orillas, como la del cuento *La foca surfista*, puedes disfrutar de otras cosas, además del mar y la playa. Observa a las aves marinas **abatirse** contra el mar para pescar. Camina a lo largo del **muelle**, donde puedes ver barcos atracados en el puerto. Al final del día, observa el cielo repleto de colores resplandecientes mientras el sol se pone detrás del **horizonte**. Hagas lo que hagas, pasarás un gran día a la orilla del mar.

Conozcamos al autor e ilustrador

Michael Foreman

Desde su hogar en Inglaterra, Michael Foreman ha viajado por Norteamérica, Europa, Asia, África y Australia. Al viajar tanto, ha cruzado también muchos océanos. Todos esos viajes le han dado muchas ideas para sus relatos e ilustraciones.

Foreman no siempre viaja para obtener ideas. Tal como él explica: "No necesitas cruzar el océano para encontrar ideas. Sólo mira a tu familia en la mesa, o los recuerdos de infancia en el ático... No necesitas viajar aquí, allá o por todos lados. Pero estoy contentísimo de haberlo hecho".

OTROS LIBROS:

Jack's Fantastic Voyage
Peter's Place (por Sally Grindley)
The Tiger Who Lost His Stripes
    (por Anthony Paul)

Haz un viaje por tu cuenta y visita Education Place para aprender más acerca de Michael Foreman.

www.eduplace.com/kids

La foca surfista

por Michael Foreman

Estrategia clave

Éste es el cuento de una amistad fuera de lo común entre un chico y una foca. Al leer, haz una pausa después de varias páginas para **resumir** los sucesos del cuento.

PRIMAVERA

Un día, al comienzo de la primavera, un anciano y Ben, su nieto, bajaron con cuidado a una playa rocosa a buscar mejillones.

Mientras Ben buscaba, notó un leve movimiento entre las rocas. Entonces vio a la foca. Era difícil ver su cuerpo contra las rocas, excepto por una mancha roja en su barriga.

—¡Mira, abuelo! —balbuceó Ben—. La foca está lastimada.

—No te acerques demasiado —advirtió el abuelo. Ellos observaban a la foca desde lejos.

La foca se veía tranquila, tomando el sol de la mañana. Luego de un rato, Ben comenzó a buscar mejillones nuevamente.

Cuando Ben le dio otra mirada a la foca, vio un pequeño bulto blanco a su lado. Una foquita recién nacida se acurrucaba contra su madre.

—Rápido, abuelo —susurró Ben—. Busquemos un poco de pescado para las focas.

A medida que los días de primavera se prolongaban, Ben y su abuelo observaban a menudo a la familia de focas desde lo alto del acantilado. La piel de la cría cambió de color blanco a un color parecido al de las rocas. A veces, la cría se asomaba al borde de las rocas para observar a su madre pescar. Mientras disfrutaba del sol cálido, ella vigilaba a Ben y a su abuelo.

VERANO

A principios del verano, Ben vio cómo la mamá foca empujó a su cría desde las rocas hacia el agua. El choque del agua fría hizo entrar en pánico a la foquita. El agua la cubría por completo. Ella comenzó a nadar hacia arriba, moviendo su colita y sus aletas, hasta que su cabecita apareció en la superficie.

La mamá foca se sumergió en el agua y juntas nadaron por los alrededores, buceando, girando y haciendo tirabuzones en las profundidades. Cuando la foquita salió a la superficie, oyó la aclamación del muchacho.

OTOÑO

Los días de verano pasaron. Una tarde, Ben fue al puerto a reunirse con su abuelo, que regresaba de una jornada de pesca. La camioneta vieja del abuelo estaba estacionada con la puerta abierta y la radio encendida. La música de Beethoven se escuchaba.

El abuelo miraba fijamente el agua. De repente, una cara
bigotuda se asomó desde el agua y se reflejó con la luz de la
luna en el mar, que parecía un espejo.

El abuelo le dio un pescado a la foquita, y luego otro más.
Ben observaba cómo el espejo de agua se disolvía, se formaba
de nuevo y se disolvía otra vez, mientras todos escuchaban la
música de Beethoven.

INVIERNO

Mientras Ben se dejaba azotar por el viento húmedo del invierno en su camino a la escuela, la foquita aprendía las lecciones del mar. A ella le encantaba nadar lejos de su casa y explorar la costa. Aprendió a pescar nadando hasta el fondo del mar para ver el perfil de los peces contra el cielo.

Ella dormía en el mar, flotando verticalmente como una botella, con su nariz fuera del agua. Lo que más le gustaba era tenderse sobre las rocas con otras focas jóvenes para sentir el viento y el sol en su piel.

Pero un día el viento aumentó de velocidad repentinamente y se desató una violenta tormenta. La lluvia y las olas descomunales arrancaron piedras grandes del acantilado. Las focas se sumergieron profundamente, tratando de escapar de las rocas que caían. Pero incluso dentro del mar estaban en peligro. Algunas focas se estrellaron contra las rocas debido a las olas.

PRIMAVERA

La calidez de la primavera trajo flores silvestres, y Ben y su abuelo volvieron al acantilado una vez más. Pero no había señal alguna de la foquita.

—Debe haber muerto en las tormentas del invierno —dijo Ben.

Pero la mamá foca aún venía a veces al puerto para disfrutar las noches de música y pescado.

VERANO

La primavera dio paso a un verano caliente y Ben iba cada sábado a la escuela de surf. Era un nadador fuerte y, luego de mucha práctica, estaba listo para correr olas junto a los otros surfistas novatos.

En un día soleado, Ben se balanceaba en su tabla suavemente sobre las olas. De repente, se dio cuenta de un movimiento extraño en el agua. Vio un bulto oscuro abatirse contra la tabla. La foquita asomó su cara justo a su lado. Ben estaba eufórico.
—¡Estás viva! —dijo sonriendo.

Mientras tanto, las olas del mar crecían. Las grandes murallas verdes de agua se alineaban a lo largo del horizonte. La foca conocía muy bien el movimiento del mar. Ben y la foca dejaron pasar las dos primeras olas y entonces corrieron la tercera ola enorme hacia la orilla.

Durante toda la tarde, Ben y la foca hicieron surf juntos. Más tarde, la foca desapareció tan rápido como había llegado. Después de un rato, Ben se dejó llevar por la siguiente ola hasta la arena.

Al día siguiente, la marea estaba perfecta para hacer surf y la foquita estaba de regreso. Una vez más, Ben y la foquita hicieron surf juntos.

Ben no podía quitar la vista de la foca cuando ella aparecía en la superficie. Mientras Ben miraba a la foca, la ola que estaba corriendo rompió de repente, lo tiró de su tabla y lo hundió de cabeza en el mar. Dio volteretas en el oleaje y se golpeó contra una roca. El agua arenosa se le metió en la nariz y en la boca. Su cuerpo se arrastraba a las profundidades cada vez más. Se estaba hundiendo en la oscuridad.

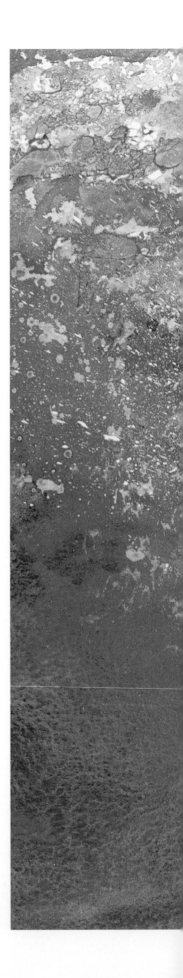

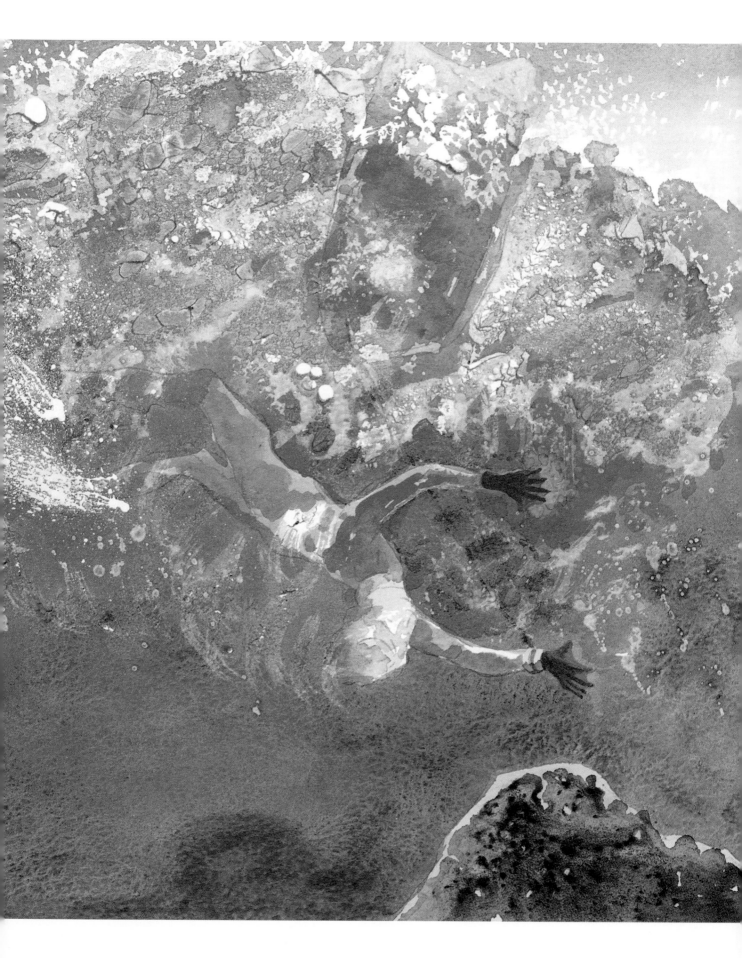

Entonces Ben sintió una sensación extraña. Una fuerza desconocida lo arrastraba hacia arriba. La luz del sol brillaba en su cara a través del agua, mientras la foca empujaba su cuerpo hacia la superficie. Con el último esfuerzo, puso a Ben sobre su tabla. Él esperó, y la ola siguiente lo llevó hasta la orilla. Sus amigos se acercaron a él para asegurarse de que estaba bien. Una vez que recuperó el aliento, Ben se sintió mejor.

La tarde siguiente, y por el resto de ese largo y caluroso verano, Ben hizo surf con la foca.

INVIERNO

Aquel verano maravilloso y el suave otoño fueron seguidos por el peor de los inviernos. Las tormentas golpeaban las rocas y arremolinaban la arena y las piedras. La playa estaba desierta. Ninguna foca volvió allí.

PRIMAVERA

Cuando la primavera siguiente hizo brotar flores silvestres en el acantilado, Ben fue allí sin su abuelo. El niño y sus amigos exploraron a lo largo de los acantilados, sin encontrar ni una señal de las focas.

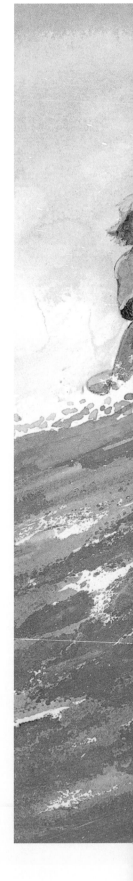

VERANO

A medida que las tardes se hacían más largas al principio
del verano, Ben comenzó a pescar en el muelle, como antes
lo había hecho su abuelo. Una tarde, mientras observaba
las aguas tranquilas, dos cabezas brillantes emergieron en
la superficie. Ben dio un grito de alegría al ver a la que
antes fuera la foquita, ahora tan bigotuda como el abuelo,
con su cría.

Ben sonrió. Entonces supo que ése y cada uno de
los veranos por venir correría olas con las focas.

Y tal vez un día paseará con su propio nieto en los
acantilados y juntos verán a las focas.

La foca
surfista
por Michael Foreman

Piensa en la selección

1. Compara cómo cambian los personajes y las focas durante el relato.

2. ¿Por qué Ben disfruta observando a las focas?

3. ¿Te parece posible que una foca pueda salvar a un surfista de morir ahogado? ¿Por qué?

4. ¿Qué tipo de actividades podría hacer Ben algún día con sus propios nietos?

5. A Ben le gusta visitar los acantilados. Describe un lugar al aire libre que te guste y cómo ese lugar cambia en las diferentes estaciones del año.

6. **Conectar/Comparar** Haz una comparación entre el hábitat de los animales en *La foca surfista* y en *Las noches de los frailecillos*.

Expresar

Escribe un poema acróstico

Elige una palabra del relato, como *mar, verano* u *olas,* y escribe un poema sobre ella. Primero, escribe la palabra en mayúscula verticalmente, a la izquierda de tu hoja de papel. Luego, al lado de cada letra, escribe una oración que comience con esa letra.

Consejos

- Escribe acerca de lo que sientes o piensas cuando oyes la palabra.
- Genera ideas para cada línea. Luego, elige la mejor.

Lectura — Aplicar conocimientos previos
Ciencias — Diversas formas de vida

Matemáticas

Calcula el tiempo en el calendario

El cuento se desarrolla en dos años y medio. ¿Cuántos meses es eso en total? Encuentra primero cuántos meses hay en un año. Luego, escribe un enunciado numérico para ayudarte a encontrar la respuesta.

Extra ¿Cuántas semanas es eso? ¿Cuántos días?

Música

Escucha a Beethoven

El abuelo de Ben escuchaba música escrita por Beethoven. A la mamá foca parece gustarle la música. ¿Y a ti? Escucha atentamente una grabación con música de Beethoven. Haz un dibujo o escribe un párrafo que muestre cómo te sientes cuando la escuchas.

Ludwig van Beethoven

Haz una excursión en Internet

Explora los hábitats de animales alrededor del mundo cuando te conectes a Education Place. **www.eduplace.com/kids**

Destreza: Cómo leer un artículo de revista

Antes de leer...

❶ **Lee** el título y las leyendas.

❷ **Observa** las fotos.

❸ **Predice** qué aprenderás.

Al leer...

❶ **Identifica** la idea principal de cada párrafo.

❷ **Vuelve a leer** si estás confundido.

❸ **Observa** las fotos y leyendas para hallar más información.

Estándares

Lectura

Lectura

• **Identificar información en el texto**

• **Hacer y modificar predicciones**

Trabajo en el mar

La reseña biográfica de un fotógrafo submarino

por Kristin Ingram

Los compañeros de trabajo de Norbert Wu son peces. En vez de ponerse un traje elegante y conducir hasta una oficina, este fotógrafo submarino se pone un traje de submarinista y bucea en el océano. Norbert viaja alrededor del mundo para fotografiar a todo tipo de peces extraños, hermosos y, a veces, peligrosos. Él fotografía casi cualquier cosa que viva debajo del agua, pero disfruta especialmente de los proyectos difíciles.

Un ► cardumen de pececillos plateados en el Mar Rojo

▲ Norbert Wu con su cámara

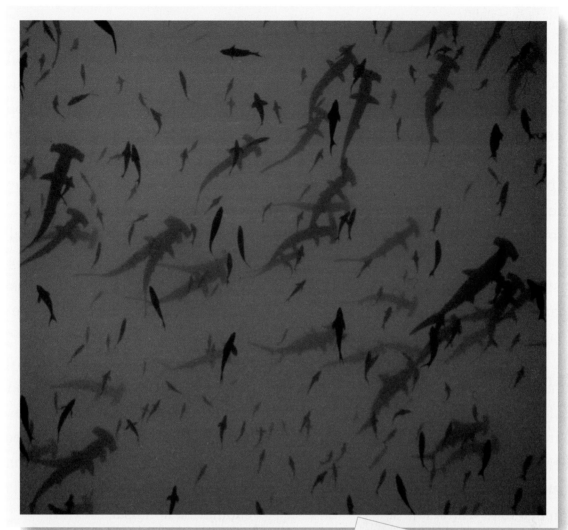

▲ **Cientos de peces martillo cerca de Isla
   del Coco, Costa Rica**

En una sesión fotográfica cerca de Isla
del Coco, en Costa Rica, él contuvo su
respiración mientras pataleaba
furiosamente hasta ubicarse debajo de un
gigantesco cardumen de peces martillo.
Tuvo que esperar hasta después de
tomar la fotografía para exhalar el aire,
porque la nube de burbujas habría
espantado a los peces.

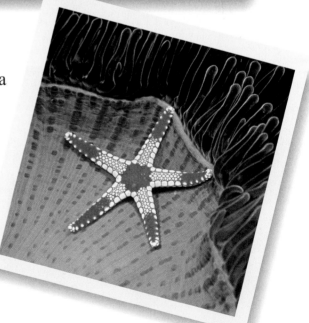

En las Bahamas, Norbert tuvo que
nadar rápido para poder seguir a un grupo
de delfines, que nadaban hacia la superficie
y hacia el fondo, jugando y pasándose entre
ellos algas marinas, una y otra vez.

▲ **Una estrella de mar
cerca de Borneo**

Norbert no siempre nada a toda velocidad bajo el agua. A veces debe mantenerse lo más quieto posible para no espantar a un animal tímido. Una vez, en el mar Caribe, encontró a un pez blenia que vivía en un hueco de un arrecife de coral. Cada vez que trataba de fotografiarlo, el pez se metía en el hueco. Finalmente, el pez se acostumbró a su presencia y lo dejó llegar lo suficientemente cerca para tomar la fotografía.

El trabajo de Norbert no es siempre peligroso y fascinante. Él pasa mucho tiempo en su oficina de California ocupándose del papeleo y preparando el equipo. Las cajas herméticas que protegen sus cámaras no deben tener filtraciones.

Las fotos submarinas necesitan una iluminación fuerte, por lo que Norbert une las luces estroboscópicas a la caja protectora mediante unos brazos plegables. Cuando prueba su equipo en Monterey Bay, parece que estuviera cargando una nave espacial en miniatura. Las focas curiosas del puerto y los leones marinos lo siguen por los alrededores. A veces, hasta tocan con su hocico la cámara de Norbert.

¿Cómo llegó Norbert a convertirse en un fotógrafo submarino? Cuando era niño, sus actividades favoritas de verano eran la natación y el buceo. Él continuó con esos pasatiempos hasta la universidad y agregó la fotografía submarina a la lista.

▼ Norbert se encuentra con una foca curiosa.

▲ La blenia que Norbert finalmente fotografió

▲ Un cardumen de peces hada se aglomera alrededor de los corales en el Mar Rojo.

En sus años en el Instituto Oceanográfico Scripps, en San Diego, Norbert descubrió que tenía talento para sacar buenas fotografías submarinas. Entonces se dio cuenta de que con ellas podría ayudar a la gente a ver y comprender el océano en la misma forma que él lo hizo.

Si bien Norbert ha visto paisajes submarinos maravillosos, también ha sido testigo de muchas cosas tristes. La contaminación ha perjudicado ecosistemas frágiles, como los arrecifes de coral; y la pesca en exceso ha reducido la población marina de algunos océanos. Al tomar fotografías que muestran lo interesante y hermoso que son los animales marinos, Norbert espera inspirar a la gente para que ayude a protegerlos.

Tal vez un día tú también bucearás por el mundo submarino de Norbert y compartirás su placer y maravillas. Y si prefieres permanecer seco, puedes contar con él para que traiga fotografías increíbles a su regreso.

Dos días en mayo
por Harriet Peck Taylor
ilustrado por Leyla Torres

Dos días en mayo

Vocabulario

alrededor
morirán de hambre
pastar
población
territorio
vagan

Estándares

Lectura
- Identificar respuestas en el texto

El venado

Como todos los animales, el venado necesita alimento y refugio para vivir. Puede encontrar lo que necesita en muchos lugares diferentes del mundo. El venado habita en todos los continentes, excepto en la Antártida.

Los venados no hacen madrigueras o nidos. **Vagan** a través de un área extensa o **territorio**, buscando comida y descansando cuando encuentran un lugar seguro para hacerlo.

A veces hay demasiados venados en un solo lugar. Si la **población** de venados se hace muy numerosa, algunos de ellos pueden vagar hacia nuevas áreas. Pueden hacerlo incluso a través de pueblos y ciudades **alrededor** de su territorio habitual. Esto es lo que ocurre en el cuento que vas a leer.

Los venados comen casi cualquier planta. Les gusta pastar ramitas, flores, brotes y pasto. ▶

Siempre que puedan encontrar un área boscosa o cubierta de pasto, los venados nunca morirán de hambre.

Dos días
en mayo

por Harriet Peck Taylor
ilustrado por Leyla Torres

Estrategia clave

Al leer, haz una pausa para **revisar** qué tan bien entiendes lo que ocurre en el cuento. **Aclara** cualquier suceso que sea confuso volviendo a leer.

Un sábado de mayo, temprano por la mañana, fui a la ventana que da a la escalera de emergencias y froté mis ojos. Miré hacia el pequeño jardín que había sembrado detrás de nuestro edificio. Cinco animales estaban pastando sobre la lechuga recién plantada en mi jardín.

—¡Mamá, mamá! —llamé—. ¡Ven a ver lo que hay en nuestro patio!

Mamá se asomó rápidamente por la ventana. —Sonia, esos animales son venados, pero ¿cómo llegaron aquí? —preguntó—. Voy corriendo a decirle al Sr. Donovan.

Cuando Papá y yo salimos al patio, una pequeña muchedumbre se había reunido.

—Papá, ¿por qué hay venados en la ciudad? —pregunté.

—Los venados deben haber venido hacia acá en busca de comida. Probablemente olfatearon las lechugas de tu jardín —explicó.

Yo nunca había visto un espectáculo semejante. Sus pelajes eran de un color marrón dorado y sus piernas terminaban en pezuñas pequeñas y delicadas. Tenían rabitos inquietos y sus grandes ojos negros eran muy mansos.

Unas cuadras más abajo, un tren pasó con gran estruendo, pero aquí la vida parecía haberse detenido. Palomas y ardillas eran casi los únicos animales que habíamos visto en nuestro vecindario.

Mirando alrededor, reconocí a muchos vecinos. Estaban Isidro Sánchez y su hermana Ana. Parados a mi lado estaban el Sr. Smiley, dueño de la lavandería Smiley; Peach, mi mejor amiga; Chester y Clarence Martin; y las hermanas Yasamura, del piso de abajo. Vi al Sr. Benny, el taxista, y a la Dama de las palomas, quien reía alegremente. Me di cuenta de que incluso vecinos que casi no se conocían entre sí estaban parados unos al lado de otros, hablando amistosamente. Bueno, todos excepto el Sr. Smiley y la Dama de las palomas, quienes no se dirigían la palabra. El Sr. Smiley estaba enojado porque la Dama de las palomas las alimentaba enfrente de su lavandería, y él pensaba que eso era malo para su negocio.

El dueño de nuestro edificio, el Sr. Donovan, se acercó a
Papá. Hablaron en voz muy baja, pero yo era toda oídos.

—Luis, yo también creo que los venados son hermosos, pero
ambos sabemos que no pueden permanecer aquí —susurró el Sr.
Donovan—. Un carro los puede atropellar. Pertenecen al
bosque, no a la ciudad. Creo que lo mejor que podríamos hacer es
llamar a los oficiales de control de animales.

Papá asintió con la cabeza solemnemente y luego se fueron.

La Dama de las palomas se dirigió a Peach y a mí, y dijo:

—¡Ay, niñas!, ¿no son maravillosos?

—¡Sí! —respondimos al mismo tiempo.

—Veo que dos de los venados son más pequeños. Ésas son probablemente hembras. A los venados también se les llama ciervos. Yo veía venados habitualmente, muchos años atrás, cuando vivía en el campo.

Al poco tiempo, Papá y el Sr. Donovan volvieron con gesto de preocupación en sus caras y reunieron al grupo.

—La oficina de control de animales quiere sacrificar a los venados —dijo Papá—. Es la ley. El gobierno piensa que los venados morirán de hambre.

—No hay suficientes bosques para que todos los venados tengan un hogar —agregó el Sr. Donovan—. Por eso es que los venados jóvenes vagan hacia lugares lejanos. Están buscando su propio territorio.

Estaban todos tan callados que todo lo que se oía eran los sonidos de la calle: bocinazos, motores y gritos.

El Sr. Benny fue el primero en hablar. —No podemos permitir que maten a los venados. Debe haber otra manera.

—¡Sí, es cierto! —dijo Teresa Yasamura. Todos alrededor asentían con la cabeza.

—Ellos no matarían a los venados enfrente de toda esta gente. Podría ser muy peligroso —dijo Chester luego.

—¡Es verdad! —dijo Papá—. Podemos formar una barricada humana alrededor de los venados, sin acercarnos demasiado a ellos.

—¡De acuerdo! —exclamó Isidro—. Nos quedaremos aquí hasta que resolvamos qué hacer.

Ése fue el principio de nuestra protesta pacífica.

El Sr. Benny frunció el ceño.
—Recuerdo haber leído unos meses atrás
acerca de una organización que rescata y
traslada animales abandonados o heridos.
Un carro había atropellado a un zorro,
pero no resultó seriamente herido. Este
equipo se lo llevó hasta que se curó y
después le encontraron un lugar para que
viviera lejos de las calles. Voy a ver si
encuentro el número telefónico.

Un poco después, el Sr. Benny
regresó y anunció: —El equipo de rescate
no está en este momento, pero les dejé un
mensaje. Dije que se trataba de una
emergencia.

Cuando el oficial de control de
animales llegó, se encontró con una
muchedumbre alrededor de los venados y
decidió no tomar ningún riesgo. —Si no
les importa, amigos —dijo—, me voy a
quedar por ahí hasta que se cansen y se
vayan a casa. Pero no nos fuimos.

Nos quedamos toda la tarde, esperando ansiosos, con la esperanza de recibir noticias de la organización de rescate. Entretanto, llegamos a conocernos mejor y aprendimos más acerca de los venados.

—Miren cómo mueven sus orejas grandes de izquierda a derecha —exclamó Peach con los ojos brillantes de la emoción.

—Nosotros estudiamos a los venados en la clase de ciencias. Tienen el oído muy agudo, para detectar a sus enemigos en la distancia —dijo Clarence.

El Sr. Benny nos hizo un gesto mientras se dirigía a nosotros. —A veces veo venados de este tipo iluminados por los faros de mi carro, cuando conduzco por las afueras de la ciudad. Cuando están asustados por las luces del taxi, sus colitas se paran como banderitas. Las colas son blancas por debajo, lo que significa que son venados de cola blanca.

A los venados les gustaba pastar y dormir cautelosamente, siempre alertas al peligro. Nos observaban con sus ojos atentos llenos de curiosidad. Pude ver cómo la presencia de la gente los incomodaba, y eso me ayudó a comprender que eran animales realmente salvajes. Tratamos de mantener cierta distancia y de no hacer movimientos bruscos.

Cuando comenzó a atardecer, la multitud creció. Nosotros hablábamos y contábamos bromas en voz baja, mientras cuidábamos a nuestros amigos silenciosos. Pedimos pizza.

Ana Sánchez habló con el oficial de control animal.

—¿Le gustaría un pedazo de pizza? —preguntó.

—Muchas gracias —respondió—. Mi nombre es Steve Scully y entiendo lo duro que debe ser esto para todos ustedes. Ésta es la parte de mi trabajo que no me gusta.

—El problema es el crecimiento de la población. Hemos construido pueblos y autopistas donde alguna vez hubo bosques y arroyos. Ahora queda muy poco espacio para los venados. No hay una solución fácil —dijo, sacudiendo su cabeza con tristeza.

Le rogué a papá que me dejara dormir afuera esa noche, ya que casi todos iban a quedarse. Mamá vino con mi hermanito Danny. Trajo sábanas, un edredón, una chaqueta y hasta a Hershey, mi perro de peluche.

Mamá se sentó a mi lado y me abrazó.

—¿Estás segura de que tienes suficiente abrigo, Sonia? —preguntó.

—Estoy segura —contesté.

Permanecimos juntas en silencio, admirando a los venados.

Finalmente se levantó, me besó la frente y dijo: —Tengo que llevar a Danny a la cama. Dulces sueños, ángel.

Dormí como un osezno, hecha un ovillo contra las espaldas anchas de papá.

A la mañana siguiente, me desperté con el sol en mis ojos y el sonido de la ciudad. Papá me abrazó y me preguntó si me había gustado dormir afuera.

—Soñé que estaba durmiendo con los venados en un hermoso bosque, bajo árboles enormes.

—Lo estabas, Sonia —dijo riendo—. Pero no en un bosque.

—¿Llamó la gente de la organización de rescate? —pregunté mientras observaba a los venados nuevamente.

—Sí, Sonia. La organización llamó anoche a última hora y esperan poder enviar a alguien esta mañana.

El grupo permanecía silencioso mientras continuábamos esperando.

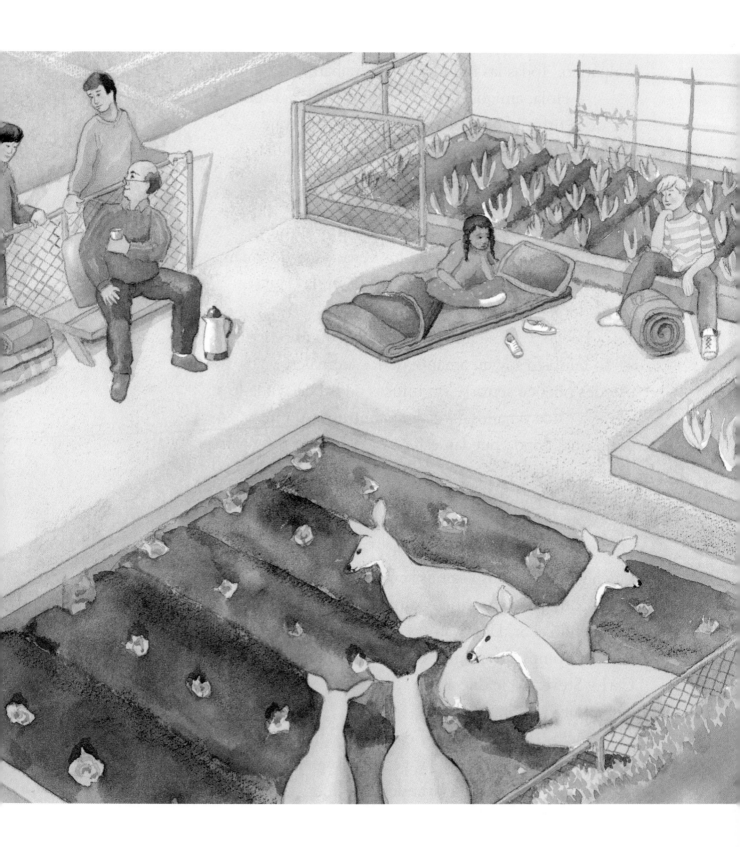

Esa mañana llegó una vieja camioneta anaranjada. El hombre que salió de ella parecía simpático. Todas las miradas lo apuntaban.

—Hola, amigos. Mi nombre es Carl Jackson y soy de la organización de rescate de fauna salvaje —dijo—. Necesito poner a los venados en jaulas para poder llevarlos a nuestro centro de rescate. No se alarmen, pero debo dispararles dardos con tranquilizantes, para hacerlos dormir por un rato.

Entonces, a medida que los venados se dormían, los alzaba cuidadosamente y los metía en las jaulas de madera.

Luego, Carl se dirigió a la muchedumbre y dijo: —Yo también soy un amante de los animales, y ustedes pueden sentirse orgullosos de haber ayudado a salvar a estos venados. Voy a encontrarles un lugar en el bosque, donde puedan estar sanos y salvos y tengan alimento suficiente.

Steve Scully vino hacia Carl y, extendiéndole la mano, dijo: —Estoy feliz de que hayas venido, amigo.

Una aclamación espontánea brotó de la muchedumbre. Los vecinos se palmeaban las espaldas unos a otros. Isidro chocó palmas con todos, incluyendo al Sr. Donovan y a la Dama de las palomas. Peach y yo nos abrazamos, y Papá le dio la mano a Carl y Steve. Yo le dije adiós a Teresa y a Sandy Yamamura y al Sr. Benny.

Incluso vi al Sr. Smiley dándole la mano a la Dama de las palomas. —Tal vez podría alimentar a sus palomas *detrás* de mi lavandería —dijo—. Tengo un pequeño lugar allí detrás.

La Dama de las palomas sonrió.

Unos días después, Papá recibió un llamado de Carl. Una de las hembras había dado a luz a dos venaditos. Además, Carl había encontrado un sitio para los siete venados en un bosque al noroeste de la ciudad.

A veces, cuando estoy sentada en la escalera de incendios, observando las luces titilantes de la ciudad, pienso en los venados. En mi mente, ellos corren libres y radiantes a través de una pradera gigantesca, bañados por la luz plateada de la luna.

Dónde nació: Lake Forest, Illinois

Dónde vive ahora: Boulder, Colorado

Sus animales: Taylor ha vivido con perros, hámsters, lagartijas, un gato, un zorrillo llamado Stinky (Apestoso) e incluso con una chinchilla.

Sus libros: Cuando Taylor ilustra sus propios libros, crea diseños en batik usando cera derretida y tinta de colores.

Otros libros: *Coyote and the Laughing Butterflies, Ulaq and the Northern Lights*

Conozcamos a la ilustradora
Leyla Torres

Dónde nació: Bogotá, Colombia

Dónde vive ahora: Ciudad de Nueva York

Su primer trabajo: Fabricar marionetas

Sus libros: Torres visitaba bibliotecas para niños para aprender más sobre arte. Esas visitas la ayudaron a decidirse a crear sus propios libros.

Otros libros: *El sancocho del sábado, Gorrión del metro*

Pasea por Education Place y descubre más acerca de estas dos autoras e ilustradoras.

www.eduplace.com/kids

Dos días en mayo
por Harriet Peck Taylor
ilustrado por Leyla Torres

Piensa en la selección

1. ¿Por qué no se enoja Sonia cuando los venados se comen la lechuga de su jardín?

2. Describe cómo la comunidad de Sonia trabaja en equipo para ayudar a salvar a los venados.

3. ¿Quién crees que es el héroe en este cuento? Explica tu respuesta.

4. ¿Cómo cambia la comunidad de Sonia gracias a la presencia de los venados durante dos días en el jardín del vecindario?

5. ¿Qué animales ves con más frecuencia donde tú vives? ¿Cómo se comportan cuando están en presencia de la gente?

6. **Conectar/Comparar** Compara a Sonia con otro personaje de este tema.

Escribe un artículo periodístico

Comenta con los demás acerca de los venados en la ciudad. Escribe un artículo de periódico que explique cómo Sonia y su comunidad ayudaron a salvar a los venados. Asegúrate de que tu artículo incluya quién, qué, dónde, cuándo y por qué. Escribe un titular en la parte superior de tu artículo.

Consejos

- Mira un periódico local para tomar ideas.
- Escribe primero la información más importante.
- Usa oraciones cortas y claras.

Lectura — Características de los personajes
Escritura — Escribir un párrafo

Salud

Reglas para proteger la fauna silvestre

En un grupo pequeño, escribe una lista de reglas para la protección de la fauna silvestre, dirigida a la gente que encuentre animales salvajes. Crea reglas que sirvan para protegerlos a ambos: al animal y a la persona. Busca ideas en el cuento y en otros libros y revistas.

Escuchar y hablar

Demuestra cómo dejar un mensaje telefónico

Practica con un compañero cómo dejar un mensaje telefónico a un socorrista de fauna silvestre. Comenta acerca de los venados del cuento, o elige otro animal que podrías encontrar donde vives. Explica el problema y pide ayuda. Si es posible, graba tu mensaje y escúchalo.

Consejos

- Deja un mensaje corto.
- Comenta detalles importantes rápida y claramente.
- Di "por favor" y "gracias".

Internet

Resuelve una cuadrícula misteriosa

A veces salta, a veces duerme, a veces hace cualquier cosa que quiere hacer. Para descubrir qué es ESO, imprime una cuadrícula misteriosa de Education Place. **www.eduplace.com/kids**

Destreza: Cómo leer un poema en voz alta

❶ **Practica** leyendo el poema con voz clara.

❷ **Cambia** el sonido de tu voz para ayudarte a expresar la idea del poema.

❸ **Haz una pausa breve** al final de cada línea. **Haz una pausa más larga** después de los signos de puntuación.

❸ **Mira** a tus oyentes cada vez que puedas.

Estándares

Escuchar/Hablar

- **Elementos del lenguaje literario**

- **Leer en voz alta con fluidez**

- **Presentar interpretaciones dramáticas**

Los dos peces

Dos peces amigos
vienen por el mar.
¡Qué verdes las algas!
¡Qué rojo el coral!

Veloces se acercan
a todo nadar,
aletas y cola
moviendo a compás.

Por el agua clara
se ha filtrado el sol
y como dos joyas
relumbran los dos.

Dora Alonso

El oso

Si yo fuera un oso
blanco, negro o gris,
un abrigo hermoso
de piel, del país,
llevaría puesto
y la blanca helada
o el frío molesto
no me harían nada.
De piel serían mis botas
y de piel mis bellos guantes
y de piel mis calcetines
y mi gorra y mis tirantes
y también mis pantalones,
camisa, cuello y corbata
y el traje de los domingos,
los pijamas y la bata.
Me pasaría el invierno
en una cama de piel
y al alcance del hocico
pondría una olla de miel.

Anónimo

Canción

Al aire, al aire,
sale la paloma subidora.

¡Al aire, al aire
la paloma corredora!

Por el aire una nube
la devora.

Ricardo Molinari

Gaviota

Liviana como una pluma
nunca deja de volar:
parece un copo de espuma
desprendido de la mar.

Baldomero Fernández Moreno

La ardilla

La ardilla corre.
La ardilla vuela.
La ardilla salta
como locuela.

—Mamá, ¿la ardilla
no va a la escuela?

—Ven, ardillita,
tengo una jaula
que es muy bonita.

—No, yo prefiero
mi tronco de árbol
y mi agujero.

Amado Nervo

Palabras del vocabulario

En algunas pruebas te piden que identifiques un sinónimo, o una palabra que tenga casi el mismo significado que otra palabra. Tienes tres o cuatro opciones de respuestas para elegir. ¿Cómo eliges la respuesta correcta? Mira la muestra de prueba de *Dos días en mayo*. Se muestra la respuesta correcta. Usa los consejos para ayudarte a responder a este tipo de preguntas.

Consejos

- Lee las instrucciones cuidadosamente.
- Lee la oración y todas las alternativas de respuesta.
- Usa la oración para ayudarte a comprender el significado de la palabra subrayada.
- Rellena completamente el círculo de tu respuesta.

Lee la oración. Elige la respuesta cuyo significado se parezca al de la palabra subrayada. Rellena el círculo para la respuesta correcta al pie de la página.

1 Sonia pronto comenzó a <u>apreciar</u> lo difícil que podría ser ayudar a los venados.

- Ⓐ maravillarse
- Ⓑ disfrutar
- Ⓒ explicar
- Ⓓ comprender

FILA DE RESPUESTAS 1   Ⓐ Ⓑ Ⓒ ●

Lectura   Seguir instrucciones escritas

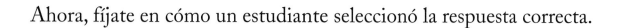

Ahora, fíjate en cómo un estudiante seleccionó la respuesta correcta.

Estoy buscando una palabra que signifique casi lo mismo que *apreciar.* Voy a tratar de reemplazar *apreciar* por cada alternativa de respuesta.

¿Cómo selecciono la respuesta correcta? Veo que *apreciar* está subrayada.

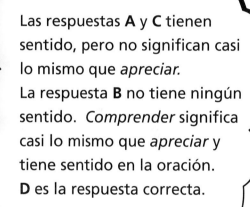

Las respuestas **A** y **C** tienen sentido, pero no significan casi lo mismo que *apreciar.* La respuesta **B** no tiene ningún sentido. *Comprender* significa casi lo mismo que *apreciar* y tiene sentido en la oración. **D** es la respuesta correcta.

Jornadas

Allá va el globo:
sobre techos y cables,
con el viento,
bautizando paisajes y miradas.

del poema "Globo"
por Eduardo Hurtado

103

Jornadas

Contenido

¡Atrapados
por el hielo!
por Michael McCurdy

Tomar pruebas

Biblioteca del lector

- **La tierra dorada**
- **Los hermanos son para siempre**
- **El iceberg del rescate**

Libros del tema

El viaje de Viento Pequeño
por Concha López Narváez
y Carmelo Salmerón
ilustrado por Rafael Salmerón López

Los farolitos de Navidad
por Rodolfo Anaya
ilustrado por Edward Gonzales

Iván, el aventurero
por Maite Carranza ilustrado por Imma Pla

Libros relacionados

Si te gusta...

Por el inmenso mar oscuro
por Jean Van Leeuwen

Si te gusta...

El viaje de Yunmi y Halmoni
por Sook Nyul Choi

Entonces lee...

Josefina y la colcha de retazos

por Eleanor Coerr
(HarperCollins)

Esperanza insiste en llevarse a su gallinita cuando su familia se va a vivir al Oeste a mediados del siglo XIX.

Cuando Jessie cruzó el océano

por Amy Hest
(Lectorum)

Jessie sale de Europa del Este en busca de una vida mejor en "la tierra prometida".

Entonces lee...

¿Quién es de aquí? Una historia americana

por Margy Burns Knight
(Tilbury House Publishers)

Un niño tailandés de diez años trata de adaptarse a la vida en los Estados Unidos.

Sapo y el ancho mundo

por Max Velthuijs
(Ekaré-Banco del Libro)

Una rana se une a una rata en sus aventuras alrededor del mundo.

Si te gusta...

¡Atrapados por el hielo!
por Michael McCurdy

¡Atrapados por el hielo!
por Michael McCurdy

Entonces lee...

Un libro ilustrado sobre Cristóbal Colón

por David A. Adler
(Holiday House)

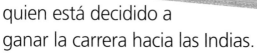

Los viajes de Cristóbal Colón, quien está decidido a ganar la carrera hacia las Indias.

Polar: Un osito en el *Titanic*

por Daisy C.S. Spedden (Destino)

Douglas Spedden y su osito de peluche son pasajeros del *Titanic*.

Tecnología

En Education Place

Añade tus informes de estos libros o lee los informes de otros estudiantes.

Education Place®

Visita www.eduplace.com/kids

Por el inmenso mar oscuro
El viaje del Mayflower
por Jean Van Leeuwen
ilustrado por Thomas B. Allen

Por el inmenso mar oscuro

Vocabulario

- ancla
- apretujados
- cansados
- filtraba
- poblado
- sobrevivir
- viaje

Estándares

Lectura

- Identificar respuestas en el texto
- Identificar datos importantes

El viaje de los fundadores

Es difícil imaginar hacer un **viaje** largo a través de mares tormentosos, **apretujados** en un barco entre mucha gente. Pero eso fue exactamente lo que hicieron los fundadores en 1620. Atravesaron el océano Atlántico desde Inglaterra hasta América en un barco llamado el *Mayflower.*

El mar estaba picado y el agua se **filtraba** constantemente a través de las paredes del barco. Después de sesenta y seis días, los viajeros **cansados** alcanzaron la costa de América y lanzaron el **ancla** del barco. Solamente un fundador no pudo **sobrevivir** el viaje.

Después de explorar el área, los fundadores construyeron un **poblado** y lo nombraron Plymouth. En *Por el inmenso mar oscuro,* leerás sobre el increíble viaje que hicieron los fundadores en su lucha por encontrar un nuevo hogar.

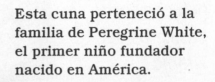

Esta cuna perteneció a la familia de Peregrine White, el primer niño fundador nacido en América.

El *Mayflower II*, una réplica a escala completa del primer *Mayflower*, flota ahora en el puerto de Plymouth en Massachusetts.

Una olla para cocinar fue una de las cosas más útiles que trajeron las familias en el *Mayflower*. Ésta le pertenecía a la familia Standish.

CONOZCAMOS A LA AUTORA
Jean Van Leeuwen

Para Jean Van Leeuwen, sumergirse en un buen libro es muy divertido. Cuando era niña, a veces se interesaba tanto en un libro que cuando alguien decía su nombre, ella levantaba la cabeza preguntándose dónde estaba. Ahora Van Leeuwen también escribe libros. A veces alguna idea simplemente la ilumina. En sus palabras: "Para mí, cada libro comienza con un relámpago desde el cielo".

Otros libros:

A Fourth of July on the Plains, Nothing Here But Trees

CONOZCAMOS AL ILUSTRADOR
Thomas B. Allen

A Thomas B. Allen le gusta mezclar y juntar sus utensilios cuando dibuja. En este libro utilizó carboncillos, pasteles y creyones sobre papel áspero e irregular, para darle exactamente la apariencia que quería. Allen también ilustró *Going West,* otro libro de Jean Van Leeuwen.

Otros libros:

Climbing Kansas Mountains
   (por George Shannon)

Good-bye, Charles Lindbergh
   (por Louise Borden)

A Green Horn Blowing
   (por David F. Birchman)

Para saber más acerca de Jean Van Leeuwen y Thomas B. Allen, visita Education Place.
www.eduplace.com/kids

Por el inmenso mar oscuro
El viaje del Mayflower

por Jean Van Leeuwen
ilustrado por Thomas B. Allen

Estrategia clave

Al leer este cuento sobre el viaje de un niño a través del mar, piensa en **preguntas** sobre los fundadores de Nueva Inglaterra y su lucha por sobrevivir.

Me quedé junto a mi padre mientras tiraban del ancla que chorreaba agua de mar. Sobre nosotros, se elevaban las velas blancas hacia un cielo azul, brillante. Se agitaron y después se llenaron de viento. Nuestro barco se movía.

Mi padre se despedía de algunos amigos en la orilla. Volteé para mirar cómo sus caras se volvían cada vez más pequeñas, luego miré la oscuridad del inmenso mar adelante. Me aferré de la mano de mi padre.

Íbamos de viaje a un lugar desconocido.

El barco estaba abarrotado de gente —cerca de cien— dijo mi padre. Bajo la cubierta éramos tantos en un espacio tan pequeño, que mi padre apenas podía pararse, y estábamos tan apretujados que casi no nos podíamos estirar para dormir.

También apretujado, bien apretujado, estaba todo lo que necesitaríamos en el nuevo mundo: herramientas para construir y sembrar, bienes para comerciar, armas para cazar. Comida, muebles, ropa, libros. Cajas con pollos, dos perros y un gato de rayas anaranjadas.

Nuestra familia tuvo más suerte que la mayoría; teníamos una esquina alejada del frío y la humedad. Algunos dormían hasta en el pequeño bote del barco.

Los primeros días hubo un viento fuerte, pero aceptable.

Mi madre y mi hermano estaban mareados en la parte de abajo. Pero yo me quedaba en la cubierta para ver cómo los pescadores recogían las cuerdas, se trepaban sobre las redes y subían hasta el final de los mástiles, mirando hacia el mar.

Qué vida tan emocionante la de los marineros, pensaba.

Un día se amontonaron las nubes en el cielo. Unos pájaros de alas negras volaban en círculo sobre el barco, y el mar, picado, parecía bravo.

—Se aproxima una tormenta —le oí decir a un marinero. Nos pusieron a todos bajo cubierta, mientras los marineros se apresuraban a recoger las velas.

Entonces comenzó la tormenta. El viento chillaba y las olas rompían. El barco se estremecía con el subir y bajar de las olas que ya parecían montañas. Unos lloraban, otros rezaban. Yo me acurruqué junto a mi padre, con miedo, en la oscuridad.

¿Cómo podría un barquito indefenso cruzar la inmensidad del mar?

Salió el sol. Caminamos por la cubierta y secamos nuestra ropa. Pero cuando por fin sentí mis zapatos secos, se amontonaron otras nubes.

—Viene otra tormenta —le dije a mi padre.

Y así pasaban los días, cada uno como el anterior. No había nada que hacer aparte de comer nuestra dieta de cerdo salado, frijoles y pan; apretujarnos en nuestro espacio; dormir cuando podíamos y tratar de mantenernos secos. Cuando no había tormenta, subíamos a la cubierta para estirar las piernas. Aunque incluso allí nos teníamos que hacer a un lado para no estorbar a los marineros.

¡Cómo quería correr, trepar y saltar!

Una vez, una tormenta barrió a un hombre de cubierta sobre la borda. Sus manos desesperadas alcanzaron una cuerda y se aferraron a ella. Se hundió bajo el agua rabiosa y espumante.

Entonces, milagrosamente, salió a la superficie.

Los marineros se apresuraron a la borda del barco. Lo acercaron tirando de la cuerda, para luego sacarlo del agua y subirlo con un garfio. Le salvaron la vida.

Una tormenta seguía la otra. El azote de las olas y el viento hizo que se rompiera una de las vigas, y nuestro barco comenzó a gotear agua.

Preocupados, los hombres se reunieron en la cabina del capitán para decidir qué hacer. ¿Podría nuestro barco sobrevivir otra tormenta? ¿Nos debemos devolver?

Hablaron por dos días sin poder ponerse de acuerdo.

Entonces a alguien se le ocurrió usar una vigueta de hierro de las que se traían para construir casas en el nuevo mundo. Los marineros la colocaron como un poste para soportar la viga, bien firme, y taparon todas las goteras.

Nuestro barco seguía su rumbo.

Habíamos viajado por seis semanas, y todavía no veíamos tierra. Siempre teníamos frío y estábamos mojados. El agua que se filtraba desde arriba extinguió el fuego con que mi madre cocinaba, y no había nada que comer excepto panecillos duros y secos con queso. Mi hermano y otros estaban enfermos.

Entonces, algunos comenzaron a preguntarse por qué habíamos dejado la seguridad de nuestras casas para emprender este viaje sin fin.

—¿Por qué? —Yo también le hice la pregunta a mi padre esa noche.

—Buscamos un lugar donde poder adorar a Dios en la forma en que queremos —me dijo tranquilamente—. Es esta libertad lo que buscamos en el nuevo mundo, y tengo fe en que la encontraremos.

Cuando miré a mi padre, calmado y seguro, yo también comencé a sentir fe en que la encontraríamos.

Todavía el inmenso mar oscuro se movía una y otra vez. Ocho semanas. Nueve.

—La tierra está cerca —dijo un día un marinero, olfateando el aire.

No nos atrevimos a creerle, pero pronto, comenzamos a ver pedacitos de algas flotando cerca. Después una rama de árbol y la pluma de un pájaro de tierra.

—¡Tierra! —Oí el grito al amanecer, dos días después.

Todos los que podían caminar se amontonaron en la cubierta. A través de la bruma gris pudimos ver: era un contorno oscuro entre el cielo y el mar. ¡Tierra!

A mi mamá se le salieron las lágrimas, aunque sonreía. Entonces todos se arrodillaron y mi padre rezó una oración de acción de gracias. Nuestro largo viaje había terminado.

El barco soltó el ancla en una bahía tranquila, rodeada de tierra. Sólo veíamos arena amarilla pálida y árboles oscuros encorvados. Y sólo escuchábamos silencio.

¿Qué se escondería entre esos árboles? ¿Bestias salvajes? ¿Hombres salvajes? ¿Habría comida y agua, o un lugar para refugiarse?

¿Qué nos esperaba en este nuevo mundo?

Un pequeño grupo de hombres salió en bote a averiguar. Pasé todo el día en la cubierta, esperando su retorno.

Por fin los vi remando de vuelta, traían montones de leña y cuentos de lo que habían visto: bosques de buenos árboles, pilones de arena, pantanos, lagos y tierra rica y fértil. Mas no casas, ni bestias, ni hombres salvajes.

Así todos nos fuimos a la orilla.

Mi madre lavó en una lagunita la ropa que teníamos puesta hacía semanas, mientras mi hermano y yo corríamos en la playa de arriba abajo.

Ayudamos a recoger leña, y veíamos chorros de agua que salían de las ballenas que nadaban en el azul de la bahía. Encontramos almejas y mejillones, el primer bocado fresco que probábamos en dos meses. Comí tanto que me enfermé.

Día tras día el pequeño grupo salía del barco, buscando el lugar más adecuado para construir nuestro poblado.

Los días comenzaron a ponerse fríos. Los copos de nieve ya viajaban en el viento. Muchos se enfermaron otra vez por el frío y la humedad. Y noté a mi padre preocupado mientras se cerraba el chaleco.

—Debemos encontrar un lugar —dijo—, antes de que llegue el invierno.

Una tarde, los hombres regresaron cansados, pero con buenas noticias. Por fin habían encontrado el lugar perfecto.

Al verlo mi padre sonrió. Estaba en lo alto de una colina, con un refugio seguro, campos limpios para sembrar y arroyos de agua dulce. Nombramos el lugar igual que el pueblo del que veníamos, del otro lado del mar.

Ya era diciembre, helado, frío y tormentoso. Los hombres se fueron a la orilla para construir casas, mientras que el resto de nosotros se quedó a bordo del barco. Trabajaron cada día que pudieron. Pero, mientras las casas de nuestro poblado comenzaban a elevarse, se enfermaba cada vez más gente. Algunos murieron.

Fue un invierno largo y terrible.

Aunque ahora teníamos casas pequeñas y rudimentarias, las tormentas y las enfermedades continuaron. Y a veces se veía a los indios esperar, alrededor del poblado, observándonos.

Mi padre y mi madre cuidaban de los enfermos, y mi padre dirigía rezos por su bienestar, pero cada día morían más. Sólo quedaba la mitad de los que habíamos navegado al nuevo mundo.

Una mañana de marzo, mientras recogía leña, escuché un sonido dulce y raro. Al levantar la mirada vi unos pájaros cantando en la rama blanca de un árbol de abedul.

¿Sería que por fin había llegado la primavera?

Todo ese día el sol tuvo un brillo cálido que derretía la nieve. Los enfermos se levantaron de sus camas. Una vez más el aire se impregnó con el sonido de las hachas y el olor a la leña recién cortada.

—Lo logramos —dijo mi padre—, hemos sobrevivido el invierno.

Pero entonces los indios se acercaron más. Encontramos sus flechas y rastros de sus antiguas casas. Los podíamos ver entre los árboles. Nuestros hombres se reunieron para decidir qué hacer ante este peligro. ¿Cómo podría defenderse un poblado tan pequeño?

Se prepararon cañones en lo alto de la montaña y los hombres comenzaron a montar guardia. Tiempo después un indio se acercó al poblado. Hablando nuestro propio idioma, nos dijo: —Bienvenidos.

Nuestro amigo indio regresó con su jefe. Y todos acordamos vivir en paz.

Uno de los indios se quedó con nosotros para enseñarnos cómo encontrar y atrapar peces en los arroyos. También nos enseñó cómo sembrar y almacenar maíz para tener suficiente en el próximo invierno.

Mi padre y yo trabajábamos juntos, limpiábamos los campos y sembrábamos cebada, arvejas y maíz en las colinas.

Después yo cavé un jardín cerca de nuestra casa. En él plantamos las semillas que habíamos traído con nosotros: zanahorias, repollos, cebollas y las hierbas favoritas de mi madre, perejil, salvia, manzanilla y menta.

Observé cada día hasta que algo verde se asomó en la oscuridad de la tierra. Mi madre sonrió al verlas.

—Tal vez podremos hacer de este nuevo mundo nuestro hogar —dijo.

Una mañana, a principios de abril, nuestro barco emprendió su regreso a través del mar. Nos juntamos en la orilla para verlo partir. Las grandes velas blancas se llenaron de viento; entonces el barco dio la vuelta y se encaminó hacia el inmenso mar oscuro.

Vi cómo se volvía cada vez más pequeño, y de repente aparecieron lágrimas en mis ojos. Ahora estábamos solos.

Luego, sentí una mano en el hombro.

—Mira —dijo mi padre, señalando la colina.

Nuestro poblado estaba disperso por toda la colina, bajo el
sol radiante de la primavera: los campos con retoños verdes,
las casas con techo de paja y los jardines perfectamente cercados;
las calles estaban ordenadas casi como en un pueblo.

—Ven —dijo mi padre—, tenemos trabajo por hacer.

Puso su mano en mi hombro y caminamos de regreso
a la colina.

Por el inmenso mar oscuro
El viaje del Mayflower
por Jean Van Leeuwen
ilustrado por Thomas B. Allen

Piensa en la selección

1. ¿Por qué la gente de este cuento viaja a un lugar desconocido? ¿En qué formas creen que sus vidas cambiarán?

2. ¿Cómo crees que cambian durante el viaje los sentimientos del niño en relación con la vida de los marineros?

3. ¿Por qué crees que los fundadores llaman el pueblo nuevo igual que el lugar del que vinieron?

4. ¿Qué es para ti lo más difícil y lo más emocionante del viaje del niño?

5. ¿Qué máquinas o herramientas de las que existen hoy en día hubieran sido las más útiles para los fundadores?

6. **Conectar/Comparar** ¿Qué características ayudan a los fundadores a tener éxito en su viaje?

Resumir

Escribe un diario de viaje

Escoge una parte del cuento, tal como el viaje, el primer invierno en el nuevo mundo o la primera primavera. Escribe una nota para un diario de viaje que resuma los sucesos más importantes de esa época.

Consejos

- Para comenzar, genera ideas y haz una lista de sucesos o un esquema del cuento.
- Incluye detalles descriptivos.
- Haz un resumen corto.

Lectura   Características de los personajes
Escritura   Escribir narraciones

Matemáticas

Calcula cantidades

Si una persona en el *Mayflower* se comiera una libra de cerdo salado, una taza de frijoles, media libra de queso y tres panecillos cada día, ¿cuánto de cada uno de esos alimentos se comería una persona en una semana? Intenta hacer un dibujo para ayudarte a hallar la respuesta.

Extra **El viaje duró sesenta y seis días. ¿Cuánto habría comido un viajero durante el viaje completo?**

Vocabulario

Haz un diccionario ilustrado

Escribe con un amigo todas las palabras sobre barcos y navegación que hay en el cuento, utilizando pedazos separados de papel. Busca cada palabra en el diccionario, escribe su significado y haz un dibujo. Engrapa tus páginas y ordénalas alfabéticamente para hacer un libro.

Internet

Construye un modelo del *Mayflower*

Busca instrucciones de cómo hacer tu propio barco de papel al conectarte con Education Place. **www.eduplace.com/kids**

Matemáticas
Escritura
Resolver problemas simples
Entender materiales de referencia

133

Destreza: Cómo leer un diagrama

❶ **Identifica** qué muestra el diagrama.

❷ **Halla** las etiquetas del diagrama. Con frecuencia las etiquetas serán letras o números.

❸ **Junta** cada etiqueta con su correspondiente en la lista.

❹ **Lee** la descripción de cada parte etiquetada.

❺ Al leer, **revisa** el diagrama para ver cómo te ayuda.

Estándares

Lectura

- **Identificar información en el texto**

- **Seguir instrucciones escritas**

Estudios sociales

- **Usar mapas**

Jóvenes viajeros
La niñez de un fundador

¿Cómo era la vida de los veintiocho niños a bordo del *Mayflower*? ¿Cómo vivieron una vez que se establecieron en América? Sigue leyendo para saber.

A bordo del Mayflower

El *Mayflower* fue construido como barco de carga, no de gente. Los pasajeros vivían en los compartimentos de abajo, que eran espacios oscuros y reducidos que había entre la cubierta y la bodega.

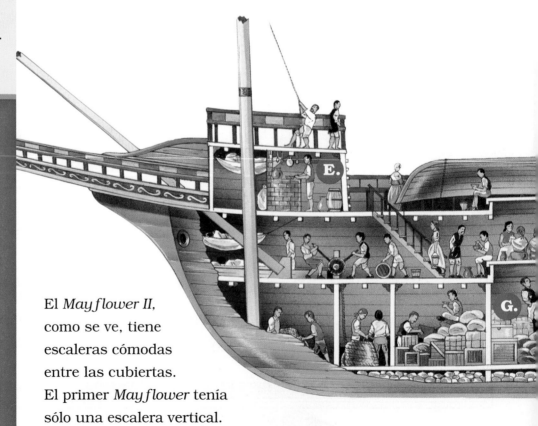

El *Mayflower II*, como se ve, tiene escaleras cómodas entre las cubiertas. El primer *Mayflower* tenía sólo una escalera vertical.

Cuando hacía buen tiempo, los niños probablemente leían, jugaban o hacían ejercicios en la cubierta. Pero la mayor parte del tiempo, los pasajeros tenían que quedarse bajo cubierta durante las tormentas. Frecuentemente se mareaban, y el movimiento del barco hacia arriba, abajo y a los lados, convertía en un peligro el pequeño espacio en que vivían.

La travesía estuvo llena de dificultades, pero también de sucesos agradables. Un niño nació durante el viaje y lo llamaron Océano. (¿Puedes adivinar por qué sus padres le pusieron ese nombre?) Un niño, Peregrine White, nació en el puerto de Cape Cod. Su primer nombre significa "viajero".

Después de sesenta y seis días en el mar, los fundadores se sintieron aliviados y contentos de haber llegado a su nuevo hogar.

Partes de un barco

A. La **casa redonda** era donde se planeaba la ruta del barco, usando mapas y cartas de navegación.

B. La **campana del barco** sonaba durante las emergencias o para indicar el paso del tiempo.

C. La **gran cabina** era donde vivía el capitán del barco.

D. El **timón** era una palanca larga que se usaba para dirigir el barco.

E. La **cocina** era donde se preparaba la comida para la tripulación.

F. Los **compartimentos de abajo** era donde vivían los pasajeros.

G. La **bodega** era donde se almacenaba la mayor parte de la comida, herramientas y provisiones.

La vida en Nueva Plymouth

¿Cómo era la vida en Plymouth? En la plantación Plimoth en Massachusetts, donde se tomaron estas fotos, la gente se viste como los fundadores y muestra a los visitantes cómo era la vida entonces. Los hechos podrían sorprenderte.

¡Los niños trabajaban la mayor parte del día! Entre sus deberes estaban buscar agua, recoger leña, arrear animales y recolectar bayas. También ayudaban a sus padres a cocinar, limpiar, sembrar, cosechar y cuidar a los niños menores.

Los niños y adultos probablemente se bañaban sólo unas cuantas veces por año. Pensaban que bañarse no era saludable.

Los niños fundadores también tenían tiempo para jugar. Probablemente jugaban canicas, juegos de pelota, juegos de mesa y de carreras.

A los siete años, los niños se comenzaban a vestir como sus padres. Antes de eso, los niños y niñas usaban vestidos.

No había escuelas durante los primeros años de Nueva Plymouth. Los niños aprendían a leer y escribir de sus padres o vecinos.

Los niños mayores debían servir la comida a sus padres. Los niños podían comer sólo después de que se servía a sus padres. Frecuentemente comían de pie junto a la mesa.

Descripción

Una descripción es un dibujo hecho con palabras que ayuda al lector. Utiliza la muestra de escritura de este estudiante como modelo para escribir tu propia descripción.

Una excursión que hice

Las **oraciones de inicio** introducen el tema.

Me encanta ir de excursión. Al final del verano mis padres estaban planeando ir de picnic. Yo estaba muy emocionado porque los picnics son divertidos y además puedo ver muchas cosas interesantes de camino al parque.

Era un día lluvioso, y toda la autopista se veía como llena de humo cuando los carros nos pasaban zumbando. A veces los carros nos salpicaban agua, que yo esquivaba, sin darme cuenta de que el agua no podía pasar por el vidrio de la ventana. Aun así, seguíamos con la esperanza de que estuviera soleado en el lugar del picnic.

Las **palabras sensoriales** recrean imágenes en la mente del lector.

Era una autopista muy transitada y con muchos camiones grandes. A mí me dan miedo los camiones, especialmente cuando suenan sus cornetas. Me recuerdan un trueno, y siempre me tapo las orejas.

Escritura   **Escribir un párrafo**
Escribir descripciones

Lo que quería ver especialmente era el gran puente que pasaba por encima de un río gigante. El agua es siempre azul y se ve muy hermosa con los botes de todos colores. Hoy, aunque el agua estaba gris, los botes se veían hermosos cuando cruzamos el puente.

Finalmente llegamos al parque, y yo estaba ansioso por salir a estirarme. Llovía suavemente y yo sacaba la lengua por la ventana para probar la lluvia, pero no sabía a nada. Había un olor fresco en el aire, y yo respiraba fuerte y profundo. Entonces, de repente, salió el sol. Había llegado la otra parte divertida del viaje: comeríamos y habría juegos.

No alcancé a ver mucho del viaje de regreso porque estaba tan cansado, después del día de picnic, que me quedé dormido inmediatamente.

Las **comparaciones** también ayudan a que el lector cree imágenes.

Los buenos escritores presentan los detalles en el **orden** en que ocurren.

Un buen **final** cierra una descripción.

Conozcamos al autor

Maurice B.
Grado: tercero
Estado: Nueva York
Pasatiempos: nadar y montar bicicleta
Qué quiere ser cuando sea mayor: oficial de policía

El viaje de
Yunmi y Halmoni
por Sook Nyul Choi
ilustrado por Karen Dugan

El viaje de Yunmi y Halmoni

Vocabulario

animadas
costumbres
extranjeros
pasaporte
rascacielos
vendedor
visitar los lugares
 de interés

Estándares

Lectura
- Hacer y modificar predicciones

DE VISITA EN OTRO PAÍS

Viajar a otro país puede ser una gran aventura. Es muy divertido recorrer las calles **animadas** de una ciudad grande y llena de gente, mirando los **rascacielos**. Muchos turistas van a **visitar los lugares de interés** en un país. Algunos turistas también aprenden en qué forma las **costumbres**, del país, como la forma de saludarse, se diferencian de las de su país de origen. En el próximo cuento, una niña hace varias de estas cosas mientras viaja a Corea con su abuela.

▲ Los extranjeros deben
llevar un pasaporte al visitar
otros países. Un pasaporte
contiene la foto de la persona
e información acerca de dónde
viene esa persona.

▲ Seúl es una ciudad
ajetreada en Corea del Sur.

◀ Mucha gente visita el
palacio real de Kyungbok
en Seúl.

▶ Puedes aprender mucho
sobre un lugar con la gente
que vive y trabaja allí, tal
como un vendedor de
artículos en un mercado.

141

Conozcamos a la autora Sook Nyul Choi

Cuando era niña en Corea, a Sook Nyul Choi le encantaba leer sobre lugares lejanos. Cuando se hizo adulta, Choi se mudó a uno de esos lugares para estudiar: los Estados Unidos. Ahora vive en Massachusetts con sus dos hijas. Ella adora los Estados Unidos y Corea, y sus libros frecuentemente hablan de cómo estos dos países se asemejan y se diferencian al mismo tiempo.

Otros libros: *Halmoni and the Picnic, The Best Older Sister*

Conozcamos a la ilustradora Karen Dugan

Karen Dugan ha estado haciendo libros desde que estaba en primer grado. Doblaba papeles para convertirlos en libros y luego hacerles dibujos. Ya no tiene que doblar sus propias páginas, pero todavía hace dibujos magníficos. En este libro, ella se inspiró en las hijas de la autora, para dibujar a Yunmi, el personaje principal.

Otros libros: *School Spirit* (por Johanna Hurwitz), *Pascual's Magic Pictures* (por Amy Glaser Gage), *Halmoni and the Picnic* (por Sook Nyul Choi)

Para saber más acerca de Sook Nyul Choi y Karen Dugan, visita Education Place.
www.eduplace.com/kids

El viaje de Yunmi y Halmoni

por Sook Nyul Choi
ilustrado por Karen Dugan

Utiliza tus experiencias de cuando has conocido gente nueva para **predecir** qué podría ocurrir cuando una niña visita a familiares que nunca ha visto.

Yunmi se acomodó en el asiento del avión y tomó la mano de su abuela. Era su primer viaje en avión. Su Halmoni, o abuela, había venido de Corea para cuidar a Yunmi mientras sus padres trabajaban. Ahora Halmoni se la llevaba de visita a Corea para conocer a todas sus tías, tíos y primos. Halmoni también quería que Yunmi estuviera en la celebración del cumpleaños del abuelo. El abuelo de Yunmi había muerto años atrás, pero cada año la familia visitaba su tumba para celebrarle el cumpleaños.

Yunmi estaba muy emocionada. Había recibido el primer pasaporte de su vida para este viaje. Y había prometido enviar montones de cartas a sus mejores amigas: Helen y Anna Marie. Era un viaje larguísimo desde Nueva York a través del océano Pacífico hasta Seúl. Duraría catorce horas y media. Sin embargo, Halmoni tenía muchísimas cosas de qué hablar durante el vuelo. Sacó un paquete de fotos de los muchos familiares de Yunmi, y comenzó a hablarle sobre cada uno de ellos. —Creo que todos van a estar en el aeropuerto de Kimpo. Estarán encantados de poder conocerte y enseñarte todo Seúl —dijo Halmoni.

Cuando el avión aterrizó, caminaron apresuradamente por el aeropuerto para que les revisaran sus pasaportes.

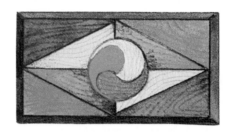

Halmoni llevó a Yunmi hasta la fila que decía
"Extranjeros". La fila se movía lentamente mientras el oficial
revisaba cada uno de los pasaportes. Halmoni debía pararse en
la fila rápida que decía "Ciudadanos". Yunmi se parecía a
todos los coreanos de la fila de los ciudadanos, pero se tenía
que quedar en la fila de los extranjeros. Esto la hizo sentirse
extraña.

Pero cuando le tocaba a Yunmi, el hombre que revisaba los
pasaportes sonrió:
    —Bienvenida a Seúl —dijo—, ¿vienes de visita con tu
Halmoni?
    —Sí, ¿cómo lo sabe? —preguntó Yunmi.
    —Te vi hablando con tu Halmoni. Ella fue mi maestra
favorita en la escuela secundaria. Oí que ella había viajado a
los Estados Unidos para estar con su nieta. Por favor dile que
Hojun le da la bienvenida.
    Yunmi le hizo un gesto feliz con la cabeza. Después de
todo, ella no era una extranjera y la gente aquí ya sabía quién
era. Estaba muy orgullosa de Halmoni.

Halmoni esperaba por Yunmi, y pasaron juntas por las puertas corredizas. De repente una cantidad de gente se les acercó rápidamente, agitados y reverentes. Yunmi se quedó quieta, con los ojos bien abiertos. Todos la abrazaron. Las personas se inclinaron frente a Halmoni y la abrazaron una por una. Halmoni estaba tan feliz que tenía que secarse las lágrimas de su cara sonriente. Luego, pasaron caminando a través de una larga fila de taxis verdes y amarillos. Un tío las llevó hasta su carro, mientras el resto de los familiares se amontonó en otros carros y taxis.

Aceleraron por autopistas amplias, y después por calles repletas de rascacielos. En el medio de la ciudad, en la parte de arriba de una calle curva había una pared alta de ladrillos con una hermosa puerta de metal. Adentro, estaba la casa de Halmoni. La hermana mayor de Halmoni, que ahora vivía allí, se apresuró a salir. Una gata y un perro que movía el rabo la seguían. Halmoni abrazó a su hermana y se inclinó para acariciar a su perro: —Sí, —dijo— yo también te extrañé mucho. Luego, cargó a la gata sobre su hombro y la llevó adentro.

En los días siguientes Jinhi y Sunhi, las primas de Yunmi, la llevaron a visitar los lugares de interés. Fueron al palacio real, llamado Kyong Bok Kung. A Yunmi le encantaba bajar corriendo las escaleras anchas por el medio, donde alguna vez sólo a los reyes, reinas y ministros se les permitía caminar.

Visitaron el Museo Nacional. Allí Yunmi aprendió que, en el siglo siete, los coreanos construyeron el observatorio Chomsongdae para estudiar las estrellas. También aprendió que, en el siglo trece, los coreanos fueron los primeros en inventar una imprenta metálica de letras cambiables para hacer libros.

Fueron muy animadas al ajetreado Mercado de la Puerta Oriental. Un vendedor ambulante estaba horneando tartas rellenas de frijoles rojos dulces. Jinhi, Sunhi y Yunmi compraron una cada una mientras recorrían los puestos del populoso mercado. "Medias a la venta", "por aquí están las camisas", "sombrillas en oferta", los vendedores cantaban mientras las chicas pasaban caminando. Entonces las primas de Yunmi la llevaron hasta su puesto favorito.

Allí, Yunmi compró un par de monederos lavanda y rosa hechos de seda suave y adornados con borlas para sus amigas Anna Marie y Helen. Yunmi se divertía con sus primas, pero era difícil entenderlas en inglés. Y cuando Yunmi hablaba en coreano, sus primas se reían tontamente diciendo que sonaba cómica.

Yunmi apenas había visto a Halmoni desde que llegaron. La abuela siempre salía, y cuando estaba en casa, las primas de Yunmi se le sentaban en las faldas y recibían toda su atención:

—Halmoni —decían siempre—, no nos dejes nunca más.

Halmoni sólo sonreía, y Yunmi a veces deseaba que todos desaparecieran para poder hablar con su abuela como en Nueva York.

En los días siguientes, Halmoni se quedó en la casa. Pero todas las tías y los primos de Yunmi vinieron para preparar el gran picnic en la tumba del abuelo. Pasaron dos días enteros en la cocina, haciendo carne sazonada, vegetales, pastelitos y dulces. Halmoni supervisaba todo.

—Sunhi —dijo Halmoni mientras la abrazaba—, ¿por qué no te encargas de hacer el mandoo? Podrías enseñar a Yunmi. Es su comida favorita.

Halmoni se apresuró a regresar con un montón de obleas de masa para preparar el mandoo, una cacerola de agua y una olla grande de relleno de carne y vegetales. Sunhi puso la cantidad exacta de relleno en la mitad de una de las láminas de masa. Mojó su dedo meñique en el agua y lo pasó formando una media luna con la masa; luego hizo presión para cerrar los bordes. Yunmi intentó hacerlo también. Y muy pronto comenzaron a hacer mandoos de figuras graciosas. Algunos parecían pelotitas; otros, carteritas, y otros simplemente se veían raros. Halmoni sonreía cuando pasaba por su lado apresuradamente.

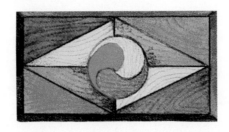

Yunmi pudo ver lo feliz que estaba Halmoni con toda su familia, y comenzó a preocuparse. ¿Qué pasaría si Halmoni no quería regresar? En Nueva York Halmoni sólo tenía a Yunmi con sus padres y a los amigos de Yunmi. Estaba asustada, pero trataba de pensar en todo lo que Halmoni la amaba.

El día siguiente era el cumpleaños del abuelo. Metieron toda la comida en camionetas que habían alquilado. Todo el mundo, todos los primos, los tíos y las tías se montaron, y se dirigieron hacia las afueras de Seúl, adonde estaba enterrado el abuelo. Mientras rodaban por las grandes calles de la ciudad y después por las carreteras curvadas, Yunmi y sus primas cantaban canciones coreanas, jugaban a la cunita y doblaban papeles para darles forma de pájaros y cestas.

Se detuvieron al pie de una montaña. Todos se bajaron y subieron hasta la cima, donde había un pequeño campo. En el medio había una pequeña colina cubierta de un césped suave y verde.

Allí en la colina había una piedra larga y plana, con el nombre del abuelo. Debajo había muchos otros nombres. A Yunmi le sorprendió ver su nombre y el nombre de sus padres. Entonces recordó que Halmoni le había dicho que escribir el nombre de los hijos y los nietos de la persona fallecida en la lápida era una de las costumbres coreanas. Yunmi subió y sintió el frío de la piedra y el calor del sol en su mano al mismo tiempo. Entretanto, Halmoni reunió a toda la familia. Juntos hicieron tres reverencias para el abuelo.

—El abuelo estará muy contento de vernos visitándolo a él y visitándonos entre nosotros en el día de su cumpleaños. Comamos y celebremos este hermoso día —dijo la abuela. Se sentaron a hacer picnic con toda la comida que habían preparado.

Yunmi solamente había estado una vez en otro cementerio. Había visto cómo la gente ponía flores en las tumbas, cómo rezaba y se iba tranquilamente. Pero en Corea, nadie lloraba o parecía triste. Las primas corrían por el campo y recogían piedras lisas para la colina del abuelo.

Yunmi quería hablar con Halmoni, pero todos estaban a su alrededor. Yunmi se sentó a pensar sola bajo un árbol. Mientras la veía, Yunmi sentía cada vez más miedo de que Halmoni no quisiera regresar a Nueva York.

—Yunmi, ayúdanos a recoger más piedras —dijo Sunhi.

—¿Por qué estás ahí sola? —preguntó Jinhi—. ¿Qué te pasa?

—Nada, no pasa nada. ¿Por qué no vas y te sientas con Halmoni? Ella te ha extrañado durante todo el año —dijo Yunmi rompiendo a llorar. Se levantó y empezó a correr con lágrimas en las mejillas.

Cuando ya no pudo correr más, se lanzó en el césped y lloró y lloró. Se imaginó regresando a Nueva York totalmente sola, y pensó en la soledad de las tardes sin Halmoni. Ella sabía que Halmoni estaba muy feliz aquí, pero todo le parecía tan injusto.

Pronto escuchó la voz de Halmoni. —Yunmi, ¿qué te pasa?

Pero Yunmi no respondió. Halmoni le dio unas palmaditas en el hombro.

—¿No estás disfrutando de tu visita? Todos están felices de que estés aquí, a ellos les gustaría que te quedaras por más tiempo.

—Ellos sólo quieren que me quede para tenerte a ti por más tiempo. Yo sé que te quieres quedar, estás muy feliz y entretenida.

Halmoni suspiró. —¡Caramba! ¿Me he portado tan mal contigo? Lo siento. Lo que pasa es que quiero encargarme de todo de manera que pueda quedarme un año más contigo.

Yunmi levantó la mirada. —¿Un año más conmigo?

—Sí, Yunmi, un año más en Nueva York, tal como lo planeamos.

De repente Yunmi se sintió egoísta y avergonzada. Luego bajó la mirada hacia el césped.

—Halmoni, tú tienes tu casa, tus mascotas y todos tus nietos y amigos aquí. En Nueva York tú sólo nos tienes a mí y a mis padres. Si te quisieras quedar, lo entendería.

Halmoni sonrió. —Yo extraño a todos aquí, pero tengo una familia a la que pertenezco en Nueva York. Y tú tienes una familia aquí también. Tenemos mucha suerte, porque ambas tenemos dos familias.

Yunmi pensó en sus primas Sunhi y Jinhi. —Halmoni, yo estuve deseando que mis primas desaparecieran. Y ellas fueron tan amables conmigo, e incluso me ayudaron a comprar regalos para mis amigos.

Halmoni acarició el pelo de Yunmi y dijo: —Ellas te quieren tanto que ya eres una de sus primas favoritas.

—Halmoni, ¿crees que podemos invitar a Jinhi y a Sunhi a Nueva York? A mí me gustaría enseñarles la ciudad.

Halmoni sonrió. —Estoy segura de que les encantaría, ¿por qué no les preguntas?

Yunmi escuchó la voz de sus primas llamando. Tomó la mano de Halmoni y la ayudó a levantarse. Caminaron juntas hasta reunirse con la familia.

El viaje de
Yunmi y Halmoni

por Sook Nyul Choi
ilustrado por Karen Dugan

Piensa en la selección

1. ¿Cómo se siente Yunmi con sus familiares en Corea al final de la historia? Explica tu respuesta.

2. ¿Por qué crees que celebrar el cumpleaños del abuelo es tan importante para la familia de Yunmi y Halmoni?

3. ¿En qué forma cambia Yunmi con la visita a Corea?

4. ¿Cómo crees que se sentirán las primas de Yunmi con la posibilidad de visitarla en los Estados Unidos?

5. Si alguien te viniera a visitar desde un lugar lejano, ¿en qué forma lo harías sentir bien?

6. **Conectar/Comparar** Tanto Yunmi como el niño de *Por el inmenso mar oscuro* viajan a lugares lejanos. Compara sus experiencias.

Narrar

Escribe una narración personal

¿Has viajado alguna vez para visitar a familiares o amigos? Escribe sobre un viaje que hayas hecho. ¿Qué hizo que la visita fuera emocionante o difícil? Cuenta qué fue lo más interesante de tu viaje.

Consejos

- Para comenzar, haz un mapa del cuento de tu viaje.
- Asegúrate de mantener los sucesos en orden.
- Utiliza palabras que describan paisajes, sonidos y sentimientos.

Estudios sociales

Encuentra nombres para los abuelos

En un grupo pequeño, hagan una lista de todos los nombres que se saben para decir *abuela* o *abuelo*. De ser posible, incluyan nombres en otros idiomas. Comparen los resultados de su grupo con los del resto de la clase.

Escuchar y hablar

Conviértete en guía turístico

Las primas de Yunmi la llevan a pasear por la ciudad. Planea un paseo con tu clase o escuela. En un grupo pequeño, decide qué lugares mostrar y qué decir acerca de cada uno de ellos. Luego, pide permiso para invitar visitantes al paseo.

Consejos

- Dales a todos la oportunidad de hablar.
- Explica por qué son importantes algunos lugares de tu escuela o salón de clases.

Internet

Resuelve una sopa de letras

¿Qué palabras nuevas aprendiste al leer *El viaje de Yunmi y Halmoni*? Ve a Education Place e imprime una sopa de letras sobre la selección.

www.eduplace.com/kids

Escuchar/Hablar   Organizar ideas

163

Destreza: Cómo mirar las bellas artes

❶ **Mira** toda la pintura o escultura. **Piensa** en cómo te hace sentir.

❷ Luego, mira más detalladamente. **Concéntrate** en pequeñas partes o detalles. **Nota** los colores y las formas.

❸ **Responde** al arte. Cuéntale a un amigo cómo te hace sentir el arte o en qué te hace pensar.

Estándares

Escuchar/Hablar

• **Usar un vocabulario claro**

Viajes a través del arte

Gansos al vuelo, **1850 o posterior**
Leila T. Bauman

El velero de los siete **Ri** *acercándose a Kurwana,* **1855**
Ando Hiroshige

五十三次名所圖會
四十三
桑名
七里の渡舡

Aeroplano sobre tren, 1913
Natalia Goncharova

Vista del puente de Sèvres y las pendientes de Clamart,
St. Cloud y Bellevue, 1908
Henri Rousseau

Carro, 1943
Alexander Calder

167

Desarrollar conceptos

¡Atrapados
por el hielo!
por Michael McCurdy

**¡Atrapados
por el hielo!**

Vocabulario

estéril
extenuante
grieta
infranqueables
peligroso
témpanos de
  hielo
terreno

Estándares

Lectura

- Identificar
  información
  en el texto

Expedición a la Antártida

El continente situado en el Polo Sur se llama Antártida. Hace tanto frío en la Antártida que la tierra es **estéril**; solamente algunas plantas y animales pueden sobrevivir allí. La desigualdad del **terreno** hace difícil viajar a través de ese territorio.

Sir Ernest Shackleton

Viajar a la Antártida hoy en día sería **extenuante**, pero para el grupo de Sir Ernest Shackelton fue mucho peor. Ellos exploraron la Antártida a comienzos del siglo XIX. Y nunca podían estar seguros de si estaban caminando sobre hielo sólido y seguro, o si caminaban sobre **témpanos de hielo** movedizos. Nunca sabían si estaban a punto de caer en la **grieta** escondida de un glaciar. Muchas veces su camino estaba completamente bloqueado por montañas **infranqueables** o por mares salvajes y helados. *¡Atrapados por el hielo!* cuenta la historia de este viaje **peligroso**.

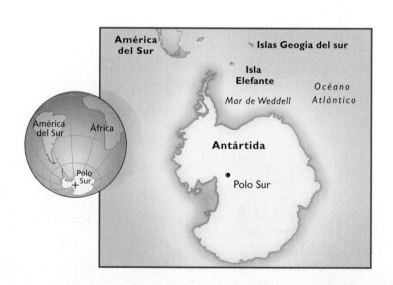

Michael McCurdy

Archivo de datos

- Michael McCurdy ha ilustrado alrededor de 200 libros, incluyendo cuentos clásicos como *El mago de Oz.* También ha escrito libros por su cuenta.

- En la escuela de arte, McCurdy era compañero de cuarto de David McPhail, otro autor e ilustrador infantil.

- Cuando McCurdy quiere crear una ilustración, generalmente talla una imagen en una placa de madera, cubre lo tallado con tinta y lo estampa sobre papel. Pero nunca es tarde para intentar algo nuevo; este cuento es el primer libro que McCurdy ha ilustrado con pinturas.

- McCurdy vive con su familia en Massachusetts, donde escribe sus libros en un granero rojo. A él le encanta tocar el piano y caminar.

Si quieres saber más acerca de Michael McCurdy, visita Education Place.

www.eduplace.com/kids

¡Atrapados por el hielo!

por Michael McCurdy

Estrategia clave

¿Podrán Shackelton y su grupo escaparse del hielo?
Revisa tu comprensión de la lectura para asegurarte de
que entiendes lo que ocurre. Lee de nuevo para **aclarar.**

27 de octubre, 1915

El *Endurance* estaba atrapado. Unos bloques gigantes de hielo le rompían los lados poco a poco. Desde la cubierta, Sir Ernest Shackelton miraba la nieve y el hielo que cubría todo el horizonte. Diez meses atrás, todo lo que deseaba era ser el primer hombre en cruzar la corteza de hielo del Polo Sur.

Ahora su única preocupación era la tripulación. ¿Qué les iba a suceder? ¿Cuánto faltaba para que el barco se destruyera? El agua entraba en el *Endurance* con rapidez. Shack no tenía tiempo que perder.

Shack ordenó que la tripulación del *Endurance* acampara sobre el Mar de Weddell congelado. Los hombres salvaron las herramientas, carpas, pedazos de madera para leña, bolsas para dormir y las pequeñas raciones de comida y ropa que quedaban en el barco, junto con tres botes salvavidas por si se encontraban con un espacio navegable.

Ahora lo que se veía del *Endurance* era una imagen triste, un barco viejo volteado sobre un costado. Durante cuatro meses había sido la casa de la tripulación. Ahora tendrían que acostumbrarse a la vida en el hielo, encallados a cientos de millas de la tierra más cercana.

21 de noviembre, 1915

Casi un mes más tarde, el sonido de tablas que se rompían dejó perplejos a los hombres. Era lo que se temían. Cuando voltearon hacia los restos del barco, vieron cómo la popa se elevaba lentamente y temblaba, para luego hundirse rápidamente bajo el hielo.

174

Minutos más tarde, el hueco se había congelado sobre el barco. Se había ido para siempre, el Mar de Weddell se lo había tragado. Shack hablaba con el capitán, Frank Worsley, y con el próximo al mando, Frankie Wild. Entre ellos, deberían decidir qué hacer a continuación.

23 de diciembre, 1915

Sería difícil ejecutar su plan. Mientras halaban los botes
salvavidas llenos de provisiones tratarían de cruzar el hielo estéril
hasta un espacio navegable. Si lo lograban, usarían los tres botes
para llegar a la tierra más cercana. Shack estudió la nieve y el
hielo interminables que tenían por delante. ¿Sería posible?

Montaron cada bote en un trineo. Amarrados por la cintura como caballos, los hombres tiraban de los botes, uno por uno. Era muy difícil tirar de 2,000 libras de cargamento. En poco tiempo, todos estaban tan cansados y adoloridos que ninguno podía continuar. La tripulación tendría que esperar que el hielo, movido por las corrientes marinas, los llevara rumbo al norte hacia mar abierto.

En los meses siguientes, la comida fue siempre un problema, y se le encargó a Tom Orde-Lee encontrarla. Ya casi no había pingüinos ni focas, y para encontrar carne de comer, los cazadores tenían que viajar lejos.

Era peligroso. Y una vez, cuando Tom esquiaba de vuelta al campamento, una cabeza monstruosa salió desde el hielo. Un león marino gigantesco atacó a Tom, pero regresó rápidamente a la oscuridad del agua, acechando a Tom desde abajo, de la forma en que los leones marinos cazan pingüinos.

Tom tropezó y se cayó. El inmenso animal atacó de nuevo, pero esta vez saltando desde el agua sobre el hielo. Tom logró levantarse y trató de escapar. —¡Auxilio! —gritó—. Y Frankie Wild corrió desde el campamento con un rifle.

Ahora el león marino atacaba a Frankie, quien se agachó sobre una rodilla, apuntó con cuidado y disparó tres veces. El león marino cayó muerto. ¡Ahora habría mucho que comer en los próximos días!

8 de abril, 1916

Los hombres olían terrible. No se habían bañado ni una vez en los cinco meses y medio que llevaban en el hielo. Su ropa estaba grasienta y gastada y al rozar contra la piel de los hombres, les causaba heridas dolorosas. Sus manos estaban agrietadas por el frío y el viento, y el hambre disminuía las fuerzas de todos.

Para entonces los témpanos de hielo se habían reducido a pedazos pequeños alrededor de los hombres, mientras éstos se acercaban cada vez más a la orilla del mar Antártico. A Shack le pareció una buena idea lanzar los botes salvavidas, aparejados con pequeñas velas de lona. Él sabía que sus hombres no sobrevivirían las 800 millas de viaje extenuante hasta la estación ballenera de la isla Georgia del Sur. Entonces decidió intentar llegar a la Isla Elefante primero.

8 de abril, 1916, 11 p.m.

Guiarse entre los bloques de hielo era difícil. Los botes golpeaban contra témpanos de hielo o se estrellaban contra los icebergs. Cuando cayó la noche, armaron las carpas y sacaron los botes y los montaron sobre un témpano de hielo. Pero era difícil dormir en bolsas y cobijas húmedas, con el ruido de ballenas asesinas dando vueltas alrededor.

Una noche, Shack sintió repentinamente que algo andaba mal. Sacudió a Frankie, y juntos se arrastraron fuera de la carpa para ver. Una ola gigante arremetió de frente contra el témpano de hielo haciendo un ruido sordo, y lo partió en dos. La grieta iba directamente hacia la carpa número cuatro.

Entonces Shack escuchó un salpicar. Mirando hacia la grieta, vio cómo una figura se retorcía en la oscuridad del agua. ¡Era una bolsa de dormir, con Ernie Holness dentro! Shack actuó con rapidez. Hundiendo la mano sacó de un sólo jalón la bolsa empapada de agua. Justo a tiempo. En pocos segundos, los dos grandes bloques de hielo se juntaron otra vez.

183

13 de abril, 1916

Por fin, los hombres alcanzaron mar abierto. El mar salvaje golpeaba contra las pequeñas embarcaciones llamadas el *James Caird,* el *Dudley Docker* y el *Stancomb Wills.* Las olas gigantescas las subían y bajaban como en una montaña rusa. El agua salada les rociaba las caras cegándolos. Casi todos estaban mareados.

Lo peor de todo es que tenían mucha sed porque el agua salada se había mezclado con el agua dulce. Las lenguas se les habían hinchado tanto por la deshidratación que apenas podían tragar. Shack hizo que sus hombres chuparan carne de foca congelada para saciar su sed. *Tenían* que llegar a tierra. Tenían que llegar a la Isla Elefante.

15 de abril, 1916

Después de una semana batallando con el mar, los hombres habían perdido casi todas sus esperanzas. Tom Crean el grandote trataba de animarlos con una canción, pero fue en vano. Por fin, algo apareció en la distancia. Shack le pegó un grito a Frank Worsley en el *Dudley Docker:* "¡Allí está, capitán!" Era tierra. Era la Isla Elefante por fin. Parecía terriblemente estéril, con picos irregulares de hasta 3,500 pies elevándose sobre el mar. En cualquier caso, era la única opción que tenían los hombres.

24 de abril, 1916

La Isla Elefante no tenía sino piedras, hielo, nieve y viento.
Armaron las carpas, pero pronto el viento se las llevó. Sin
descansar, Shack planeó ir a la isla Georgia del Sur. Allí intentaría
conseguir ayuda. Veintidós hombres se quedarían mientras Shack
y los demás se aventuraban a viajar 800 millas a través de los
peores mares invernales del planeta.

    Se escogieron los cinco hombres más fuertes: Frank Worsley;
Tom Crean el grandote; el carpintero, Chippy McNeish y dos
marineros, Tim McCarthy y John Vincent. Con los dedos
congelados y algunas herramientas, Chippy preparó el *Caird* para
el duro viaje por venir. Tan sólo nueve días después de que los
hombres habían visto la isla desierta, Shack y su tripulación de
cinco estaban en mar abierto otra vez.

Los hombres que se habían quedado necesitarían un refugio permanente o se morirían congelados. Frankie Wild hizo que los hombres voltearan al revés los dos botes que quedaban, lado a lado. Entonces cubrieron los botes con lona y pusieron una estufa dentro.

El refugio estaba oscuro y apretujado. Sólo había una pequeña lámpara. Y algo inesperado ocurrió: el calor de sus cuerpos y de la estufa derritió el hielo que había debajo, así como los excrementos de pájaro congelados que las bandadas de pájaros y pingüinos habían dejado por años. ¡El olor era terrible!

Día tras día los hombres miraban hacia el mar, preguntándose si Shack regresaría a buscarlos. ¿Cuánto tiempo los dejarían aquí? ¿Estaría bien Shack?

5 de mayo, 1916

El *Caird* logró cruzar los mares agitados, mientras Shack y sus hombres bebían aceite de foca rancio para no marearse. El océano se hinchaba, silbaba y rompía sobre el pequeño bote. Los hombres no dejaban de pensar en las terribles barbagrís que se ven en estas aguas. Las barbagrís son olas monstruosas que vienen tranquilamente y con rapidez, amenazando todo a su paso.

Los hombres tenían que batallar para mantener el bote libre de hielo, porque cualquier peso adicional podía hacer que el *Caird* se hundiera. De repente, Shack gritó desde el timón, y los hombres voltearon para ver la ola más grande de sus vidas. ¡Era una barbagrís!

El bote se estremeció con el impacto de la montaña de agua, girando como un trompo. El *Caird* se llenó de agua y los hombres achicaban furiosamente. Las piedras del casco, que Chippy había usado para evitar que el bote se volteara, los salvaron.

10 de mayo, 1916

Por fin, después de una jornada extenuante de diecisiete días en el mar, el joven McCarthy gritó: "¡Tierra a la vista!" La isla Georgia del Sur apenas se divisaba por delante. La estación ballenera estaba del otro lado de la isla, pero los hombres tenían que llegar a tierra *ahora* o morir. El agua dulce se les había acabado, y estaban demasiado débiles para seguir batallando contra el mar hasta el otro lado de la isla.

Cuando estaban llegando, los azotó el más grande huracán
que jamás habían visto. Durante nueve horas lucharon por
mantenerse a flote y, milagrosamente, cuando ya todo parecía
perdido, el mar se calmó lo suficiente para que los hombres
llegaran a la rocosa orilla de la bahía del rey Haakon.

Los hombres llegaron cerca de una cueva y de un manantial de agua dulce. La cueva se convertiría en un refugio temporal para John Vincent y Chippy McNeish. Ambos habían sufrido tanto durante el viaje extraordinario que no podrían sobrevivir la larga caminata hasta la estación ballenera del otro lado de la isla. Tim McCarthy se quedó para cuidar de los dos hombres enfermos. Afortunadamente, el agua potable, la madera de los barcos naufragados, las focas y los huevos de albatros significaban que los hombres estarían bien mientras esperaban el rescate.

Pero Shack, Tom el grandote y el capitán Worsley tendrían
que escalar sobre una cordillera de riscos entrecortados que
dividían la isla como el filo de una espada. Todo lo que podían
cargar era una cocinilla Primus, combustible para seis comidas,
cincuenta metros de cuerda y un hacha para hielo. Su única
comida consistía en panecillos y pequeñas raciones de carne que
colgaban alrededor de sus cuellos. En su octavo día en tierra, el
18 de mayo, llegó la hora de emprender la más peligrosa
escalada de todas las que habían hecho.

19 de mayo, 1916

Tres veces los hombres escalaron montañas, sólo para darse cuenta de que eran infranqueables como el otro lado del terreno. Solamente se detuvieron para tomar una sopa llamada "hoosh", para mordisquear panecillos duros o para dormir por cinco minutos, mientras uno de ellos montaba guardia para que hubiera alguien que despertara a los otros.

Los hombres, exhaustos, caminaban y caminaban. Desde la cima de una montaña vieron que la noche se acercaba rápidamente. Quedarse atrapados en un pico durante la noche significaba una muerte segura. Tendrían que jugárselo todo. Shack improvisó un trineo con el rollo de cuerda, y los hombres se lanzaron 1,500 pies cuesta abajo de una sola deslizada. A pesar de lo peligroso de la bajada, no pudieron contener la risa cuando se dieron cuenta de que se habían estrellado contra una montaña de nieve sin hacerse ningún daño.

Los hombres habían sobrevivido la deslizada, pero todavía tenían un peligro por delante. Para entonces habían caminado durante 30 horas casi sin dormir. Pero por fin, los tres oyeron el sonido de un silbato lejano. ¿Sería la estación ballenera?

Escalaron un risco y vieron hacia abajo. ¡Sí, allí estaba! Dos barcos balleneros estaban en el muelle. A la distancia, los hombres de la estación parecían insectos.

Shack trató de contener sus emociones. Todavía los tres tenían que bajar por una cascada de treinta pies, balanceándose con una cuerda en los rápidos helados. Al final, los exploradores, hechos harapos, se dirigieron a la estación dando traspiés. ¡Lo habían logrado!

20 de mayo, 1916, 4 p.m.

Thoralf Sørlle, el encargado de la estación ballenera, oyó los golpes afuera de su oficina y fue a abrir la puerta. Miró detenidamente las ropas destrozadas y las caras negras de los hombres que estaban delante de él.

—¿Los conozco? —preguntó.

—Yo soy Shackelton —fue la respuesta.

Las lágrimas desbordaron los ojos de Sørlle cuando pudo reconocer la voz de su viejo amigo.

Los tres exploradores fueron bienvenidos como héroes por los de la estación ballenera. Los balleneros sabían que nunca nadie había logrado la hazaña de Shack. Al día siguiente, el capitán Worsley tomó un bote y recogió a McCarthy, Vincent y McNeish mientras Shack comenzaba a preparar las cosas para el rescate de la Isla Elefante.

Les iba a tomar más de tres meses romper el hielo, y cuatro intentos, romper el hielo acumulado del invierno y salvar a los náufragos. Pero Shack finalmente lo logró, y sin perder ninguna vida. Los hombres se alegraron de tener la cubierta de un barco otra vez bajo sus pies. ¡Por fin regresarían a casa!

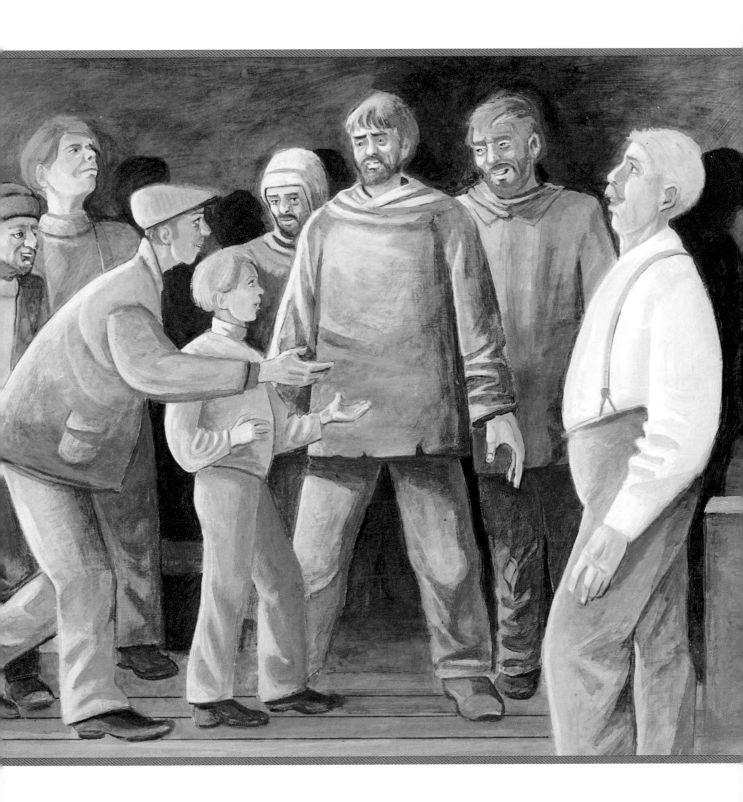

¡Atrapados
por el hielo!
por Michael McCurdy

Piensa en la selección

1. ¿Cuál crees que haya sido la parte más difícil de la aventura antártica de Shackelton?

2. ¿Cómo crees que se sintió la tripulación cuando Shackelton los dejó y se fue a buscar ayuda?

3. Nombra algunas de las características que necesitaría una persona para sobrevivir a un viaje como el de Shackelton.

4. ¿Te hubieras devuelto con Shackelton a buscar a los hombres que se quedaron en la Isla Elefante? Explica tu respuesta.

5. ¿Por qué la gente dice que Shackelton es un héroe aun cuando no logró cruzar la corteza de hielo del Polo Sur?

6. **Conectar/Comparar** ¿En qué se parecen y en qué se diferencian el viaje del *Mayflower* y el de Shackelton?

Informar

Escribe un discurso

Shackelton daba discursos contando sus aventuras. Escoge un grupo al cual Shackelton pudo haberse dirigido, tal como reporteros, otros exploradores o estudiantes. Escribe un pequeño discurso que Shackelton pudo haberle dado a este grupo.

Consejos

- Dile *hola* y *adiós* al grupo. Y al final, dale las gracias por escuchar.
- Escoge sólo algunas partes del viaje y descríbelas detalladamente.
- Lee tu discurso en voz alta para oír cómo suena.

Lectura   Características de los personajes
Escuchar/Hablar   Elaborar presentaciones descriptivas

Ciencias

Investiga el hielo

En un grupo pequeño, hablen de cómo el agua se convierte en hielo y luego vuelve a convertirse en agua. Luego, discute las siguientes preguntas:

- ¿Por qué la estufa no derrite el hielo en el primer campamento de los hombres? (páginas 174 y175)

- ¿Cómo puede el hielo llevar a Shackelton y su tripulación hacia el norte? (página 177)

- ¿Por qué se despedazan los témpanos de hielo al borde del mar Antártico? (página 180)

Estudios sociales

Haz una línea cronológica

Describe el viaje de Shackelton en una línea cronológica. En un papel, traza una línea recta. Escribe una fecha por cada punto de la línea. Debajo de cada uno de los puntos, escribe lo que pasó en esa fecha. Mantén los sucesos en orden de izquierda a derecha.

Extra **Trata de imaginar cuándo Shackelton emprendió su viaje y cuándo rescató a los hombres de la Isla Elefante. Agrega estos sucesos a tu línea cronológica.**

27 de octubre, 1915

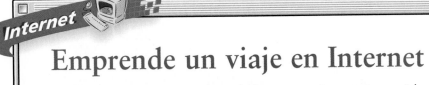

Emprende un viaje en Internet

Ya has leído sobre tres viajes emocionantes. Ahora, intenta explorar por tu cuenta. Visita Education Place y conéctate a una página para jóvenes viajeros en Internet. **www.eduplace.com/kids**

Destreza: Cómo leer un ensayo fotográfico

❶ **Lee** el título y la introducción. **Recorre** las fotos con la vista.

❷ **Mira** las fotos una por una.

❸ **Lee** las leyendas que describen las fotos.

❹ **Nota los detalles** en las fotos. Pregúntate qué te está mostrando cada foto y cómo te ayuda a entender el tema.

Estándares

Lectura

• **Identificar datos importantes**

El viaje de Shackelton en la vida real

La historia del viaje antártico de Shackelton es tan impresionante que cuesta creer que realmente ocurrió. Pero sí ocurrió, y todos sobrevivieron. Un miembro de la tripulación, Frank Hurley, incluso tomó fotos durante el viaje.

Frank Hurley

Hurley no sabía si regresaría a casa. No estaba seguro de si alguien alguna vez vería sus fotos. Sin embargo, nunca perdió las esperanzas. Él hizo todo lo que pudo para proteger sus fotos del hielo, agua, nieve, viento y el frío que congelaba. Hoy en día, sus fotos todavía ayudan a la gente a entender cómo fue esta increíble aventura.

Hurley tomó una foto de toda la tripulación poco antes de que el barco quedara atrapado en el hielo.

El *Endurance*
fue lentamente
triturado por
el hielo.

La tripulación intentó abrir un camino para el barco a través del hielo. Pero el hielo era muy abundante y demasiado grueso.

Mientras el hielo destruía su barco, la tripulación tuvo que acampar en el frío que congelaba.

La tripulación tiraba de los botes salvavidas y las provisiones a través del terreno helado. Era un trabajo extenuante.

Los restos del barco se hundieron lentamente a través del hielo. Un día triste, desapareció para siempre.

¡Rescatados! Shackelton utilizó un bote de remos para llevar a los veintidós hombres de la Isla Elefante al *Yelcho*, el barco que se ve detrás. Por fin, después de casi dos años en el hielo, la tripulación hizo el viaje de vuelta a casa.

205

✔ Escribir una respuesta a una pregunta

Muchas pruebas te pedirán que escribas una respuesta a una pregunta sobre algo que leíste. Generalmente, puedes responder a estas preguntas con algunas oraciones. Aquí hay un ejemplo de pregunta de una prueba para *¡Atrapados por el hielo!* Utiliza los consejos para responder a este tipo de prueba.

Consejos

- Lee las instrucciones y las preguntas cuidadosamente.
- Piensa en tu respuesta antes de escribir.
- Revisa la selección si es necesario.
- Escribe solamente lo que necesitas para responder directamente a la pregunta.
- Verifica tu respuesta si tienes tiempo.

Escribe tu respuesta a esta pregunta.

¿Que habría pasado si Shackelton le hubiera pedido a los hombres que lo acompañaran en otro viaje? Explica tu respuesta.

_____

_____

_____

_____

Lectura Aplicar conocimientos previos

Ahora lee la respuesta de una estudiante y fíjate en cómo la planeó.

Creo que la mayoría de los hombres se hubiera ido con Shackelton otra vez. Él era inteligente y valiente. Resolvió un gran problema deslizándose por la montaña nevada. Fue valiente al bajarse por la cascada. Era un buen líder.

Ésta es una buena respuesta. Cuenta algo que pudo haber pasado y cita ejemplos de la historia para explicar por qué.

Creo que la mayoría de los hombres se hubiera ido con Shackelton otra vez. Él era valiente, y se esforzaba para resolver los problemas. Voy a encontrar ejemplos de esto en la historia.

Shackelton fue valiente al bajarse por la cascada. Voy a encontrar un ejemplo de cómo resolvía los problemas. Luego escribiré mi respuesta.

De cerca

Biografía

¿Te interesan ciertos personajes de la vida real y sus vidas? Entonces lee una biografía.

UNA BIOGRAFÍA...

- es la historia verdadera de un personaje de la vida real
- es un relato de una persona que está viva o que vivió en el pasado
- incluye hechos e información relevante sobre una persona
- generalmente comienza relatando los primeros años de vida de la persona y continúa con los años siguientes

Contenido

CONVERTIRSE EN CAMPEONA

La historia de Babe Didrikson

por Stephen Berman

BABE DIDRIKSON dijo una vez
que ella quería ser "el mejor
atleta que hubiera existido".
No dijo "la mejor atleta femenina".
Ella no pensaba de esa manera ni quería
que los demás lo hicieran. Siempre que
podía, ella competía con niños y hombres.
¡Y también les ganaba!

Didrikson nació en 1911 en Port Arthur,
Texas. Sus padres la llamaron Mildred. Era
muy atlética y competitiva. Siempre jugaba
tan rudo como los niños y a veces más fuerte
que ellos. Una vez bateó cinco jonrones en un
juego de béisbol en su vecindario. Ese día los
demás jugadores la comenzaron a llamar
"Babe", en honor a la estrella del béisbol Babe
Ruth. Su sobrenombre le duró toda la vida.

210

Sin embargo, Babe no era tan buena jugando al béisbol. El básquetbol, el tenis, el atletismo, los saltos de clavado, e incluso el boliche fueron deportes en los que se destacó sin problemas y que le encantaban. "Yo sueño con los deportes, vivo por ellos, hablo de ellos y trato de practicarlos tanto como puedo para mejorar mis capacidades", dijo.

En la escuela secundaria, Babe era una estrella del básquetbol. En 1930, el dueño de una compañía de seguros en Dallas la vio jugar. Él le ofreció un trabajo y ella tuvo la oportunidad de participar en el equipo de básquetbol de la compañía, Los Ciclones de Oro.

Babe en una práctica para un juego de básquetbol en enero de 1933.

Como miembro de los Ciclones, Babe a menudo encestaba treinta o más puntos en cada juego. Con su ayuda, el equipo llegó al campeonato nacional de básquetbol femenino en 1930 y en 1931. Otras compañías le ofrecieron más dinero, pero en la compañía de Babe se estaba organizando un equipo de atletismo en pista, y ella estaba ansiosa por practicar este nuevo deporte.

Una vez más, Babe se destacó en algo nuevo. Era muy buena en las tres pruebas de atletismo en pista: carreras planas, salto de obstáculos y lanzamiento. Ella decidió participar en los Juegos Olímpicos.

Babe salta una valla.

1911

Nació el 26 de junio en Port Arthur, Texas.

1930 – 1931

Se unió a los Ciclones de Oro. Fue nombrada basquetbolista de clase internacional dos años consecutivos.

1932

Ganó dos medallas de oro (en lanzamiento de jabalina y los 80 metros con obstáculos) y una de plata (salto alto) en las Olimpiadas en Los Ángeles, California.

"Entrené, entrené y entrené", le escribió a un amigo. "Así he sido en cada deporte que he practicado".

Ganó cinco de las pruebas para participar en las Olimpiadas y batió cuatro récords mundiales. La gente calificó esta hazaña como el desempeño más impresionante en la historia del atletismo, no sólo para una mujer, sino en general. Por supuesto, también logró entrar al equipo. En los Juegos Olímpicos de 1932, Babe ganó tres medallas en atletismo en pista, una en cada prueba en que participó. Al finalizar las Olimpiadas, Babe era tan famosa como Charles Lindbergh y Amelia Earhart.

Pero ése no era el final de Babe. Como un nuevo reto, comenzó a jugar golf, que terminó siendo la gran pasión de su vida. Al principio, practicaba hasta dieciséis horas diarias. Cuando sus manos comenzaban a dolerle y ponerse moradas, se las vendaba y continuaba jugando.

Aquí se ve a Babe preparándose para el lanzamiento de jabalina.

1935	1945 – 1947	1948
Comenzó a jugar golf; ganó 65 torneos.	*Prensa Asociada* la nombró "Atleta Femenina del Año" por tres años consecutivos.	Ganó el primer torneo abierto estadounidense de golf.

El sentido del humor de Babe y su confianza en sí misma atrajo la atención de muchos y la ayudó a cosechar amistades dondequiera que iba. Hasta los golfistas hombres se reían cuando ella anunciaba "Bueno, Babe está aquí. ¿Quién quedará de segundo?"

El golf la hizo famosa y rica. Pero Babe se preocupaba por otras cosas aparte de su éxito. También quería ayudar a otros a lograr el éxito. Babe contribuyó con la creación de la Asociación Profesional de Golf para Mujeres (*Ladies Professional Golf Association*) para que otras mujeres se pudieran desempeñar como golfistas profesionales. Y ella misma sirvió como ejemplo para demostrar que las mujeres debían participar en los deportes.

A Babe le encantaba entretener a sus admiradores con piruetas y bromas.

1949

Contribuyó con la creación de la Asociación Profesional de Golf para Mujeres.

1950

Prensa Asociada la nombró "Atleta Femenina del Año" y "Atleta Femenina de mediados de siglo". Ganó el segundo torneo abierto estadounidense de golf.

214

Babe obtuvo muchos reconocimientos. Fue campeona en básquetbol, atletismo y golf. Obtuvo el título de Atleta Femenina del Año seis veces. En 1950, los cronistas deportivos la nombraron la atleta femenina más destacada de los años 1900 a 1950. Babe se propuso ser también la mejor en los cincuenta años siguientes.

Entonces, en 1953, se enfermó de cáncer. Los doctores le dijeron que nunca más podría jugar golf, pero se equivocaron. "Babe era una mujer muy valiente, de otra forma no se hubiera convertido en quien era", dijo un amigo. El valor de Babe la llevó de nuevo al primer lugar en menos de un año.

Dos años más tarde, en 1956, Babe murió. El cáncer fue lo único que no pudo vencer, pero siempre fue una competidora feroz hasta el final.

Babe firmó autógrafos para admiradores de todas las edades.

1954	1956	1999
Prensa Asociada la nombró "Atleta Femenina del Año". Ganó el tercer torneo abierto estadounidense de golf.	Murió el 26 de septiembre en Galveston, Texas	ESPN la nombró una de los diez principales "Atletas del siglo".

Bill Meléndez

Artista en movimiento

por Stephen Berman

Bill Meléndez

Bill Meléndez no nació con un creyón en su mano, pero en poco tiempo comenzó a usarlos. De niño, hacía garabatos en cada trozo de papel que encontraba. De adulto, convirtió su pasión por el dibujo en su profesión. Hoy en día es uno de los animadores más exitosos del mundo.

Meléndez nació en México en 1916. Sus padres lo llamaron José. Cuando su familia se mudó a los Estados Unidos todo el mundo comenzó a llamarlo Bill. Ya Meléndez hablaba español y aprendió inglés rápidamente en su nuevo hogar. Asistió a la escuela secundaria y a la universidad en Los Ángeles, California.

Durante su juventud, Meléndez trabajó en muchas cosas. Luego, en 1938, encontró su primer trabajo como artista. Los estudios de Walt Disney lo contrataron como animador. Era el trabajo perfecto para él. Como animador, Meléndez tenía que dibujar y dibujar, más y más, todo el día, y a él le encantaba.

Meléndez ha sido el animador de muchos personajes famosos de dibujos animados, incluyendo a Bugs Bunny

Los animadores les dan vida a los personajes de los dibujos animados y hacen que parezca que se mueven. Para mostrar el movimiento, los animadores deben hacer miles de dibujos. Cada dibujo es un poco diferente al anterior. Los dibujos muestran el principio y el final de cada movimiento, así como también lo que ocurre entre el principio y el final.

Hoy en día, muchos animadores usan computadoras, pero cuando Meléndez comenzó a trabajar, los dibujos se tenían que hacer a mano. Aunque muchas personas piensen que esto es aburrido, Meléndez no comparte esta opinión.

"Los animadores no lo vemos como hacer un dibujo tras otro. Nosotros lo vemos como ilustrar una acción", dice. "Lo bueno de este trabajo es que, con un toque ligero y divertido, puedes crear la impresión de que son personas de la vida real".

Meléndez comenzó a animar muchos personajes famosos de dibujos animados, incluyendo a Schroeder y Lucy de *Rabanitos (Peanuts)*.

Meléndez comenzó a trabajar en Disney cuando los dibujos animados del ratón Mickey comenzaban a ser populares. Disney necesitaba muchos animadores y con mucha urgencia. "Estaban contratando a cualquier persona que pudiera hacer una línea recta", dice Meléndez. "Yo nunca había estudiado arte, pero siempre estaba dibujando garabatos en la escuela. Siempre dibujaba y dibujaba para divertirme, así que cuando me contrataron en Disney pensé "¡Qué trabajo tan divertido!"

En los estudios Disney, Meléndez hizo que el pato Donald y el ratón Mickey caminaran y se pasearan por la pantalla. Hizo que el pico del pato y la boca del ratón se movieran como si estuvieran hablando. Hizo que Mickey se agarrara la barriga cuando se reía. También trabajó en las famosas películas animadas de Disney *Pinocho*, *Fantasía*, *Dumbo* y *Bambi*.

En 1941, Meléndez comenzó a trabajar con la compañía Warner Brothers. Allí le dio vida a otros personajes famosos de dibujos animados como Bugs Bunny, el pato Lucas y Porky.

Pero Meléndez puede ser más reconocido como animador de los personajes de *Rabanitos (Peanuts):* Snoopy, Carlitos, Lucy y el resto de sus amigos. Meléndez animó primero a algunos de estos personajes para comerciales de televisión. Luego empezó a trabajar con el creador de *Rabanitos,* Charles Schulz, haciendo películas y especiales para la televisión, como *La Navidad de Carlitos (A Charlie Brown Christmas).* Meléndez ha creado incluso algunos efectos de sonido para las películas. "Yo hago los gruñidos y aullidos de Snoopy", dice.

En 1964, Meléndez abrió su propio estudio de animación: *Meléndez Productions.* A él le gusta más trabajar con otras personas que dibujar solo. "Intenté trabajar solo en mi casa y me ponía muy nervioso" dice. "En el estudio hay un equipo integrado por muchas personas donde nos reímos mucho y nos ayudamos mutuamente. Así el trabajo es más fácil y divertido".

La animación es siempre un trabajo duro. Pero Meléndez no lo cambiaría por hacer películas y series de televisión con actores reales. "La mejor animación logra lo que no se puede lograr con actores de verdad", dice. "Nada es imposible en el mundo de la animación. Ésa es su magia".

Meléndez ayudó a darle vida a todos los personajes de *Rabanitos (Peanuts).*

LA AUDAZ

Bessie

Coleman

La primera aviadora

por Veronica Freeman Ellis

El 15 de octubre de 1922, en un espectáculo aéreo en Chicago, Illinois, las miradas apuntaban al aire. Una multitud observaba un avión pequeño de acrobacias que se venía en picada desde lo alto. ¿Se estrellaría? De repente, al último minuto, el avión se abatió sobre las cabezas de los espectadores y subió de nuevo al cielo. ¡El público aplaudió emocionado!

222

Coleman con su primer avión, un Curtiss JN-4, también llamado un Jenny.

Bessie Coleman, la primera persona afroamericana que obtuvo una licencia de piloto, estaba detrás del timón del avión. Coleman se había marchado de Chicago dos años antes para cumplir su sueño de volar. Los aviones todavía eran un invento reciente. En 1903, los hermanos Wright habían volado el primer avión con motor. En 1922, grandes multitudes asistían a espectáculos aéreos para disfrutar de los "acróbatas", pilotos que volaban en espiral y hacían giros en el aire. Coleman regresó a Chicago para demostrar a su familia y amigos que ella también podía volar por los aires como un pájaro.

Un avión sobrevuela el aire de Chicago durante un espectáculo aéreo, en agosto de 1911.

Coleman se veía muy valiente cuando saludaba al público desde la cabina abierta de su avión. Y también cuando su avión hacía volteretas en el aire, giraba en espiral o cuando se iba en picada hacia abajo y subía rápidamente de nuevo. Pero la mayor valentía la mostró Coleman mucho antes de haber aprendido a volar. En su época, mucha gente pensaba que las mujeres no podían hacer algo tan difícil y peligroso como pilotar un avión. A los afroamericanos, como Coleman, no se les permitía asistir a las mismas escuelas, trabajar en el mismo lugar o vivir en los mismos barrios que los blancos. Pero Coleman no iba a dejar que eso se atravesara en su camino. Ella se propuso metas muy difíciles y las logró, a pesar de sus pocas probabilidades de salir victoriosa.

Coleman nació en 1892 y creció en Waxahachie, Texas. Mientras su madre trabajaba de sirvienta, Coleman cuidaba a sus hermanas, ganaba dinero trabajando en los campos sembrados de algodón y todavía tenía tiempo para hacer sus tareas.

Un avión haciendo una voltereta a principios de 1920.

Al terminar la escuela secundaria, Coleman fue a estudiar a la Universidad Langston, en Oklahoma. Sólo tenía dinero para estudiar un año, pero para entonces la idea de volar ya se había fijado en su mente.

En 1911, Coleman supo que Harriet Quimby se había convertido en la primera mujer estadounidense en obtener una licencia de piloto. La idea le fascinó. Pensó que debía ser maravilloso volar. Después de dejar la universidad, Coleman se mudó a Chicago. Allí, mientras buscaba más información en bibliotecas y periódicos, decidió que quería asistir a una escuela de aviación. Sin embargo, pocas escuelas de aviación en los Estados Unidos querían entrenar a las mujeres y ninguna de las escuelas quería enseñarle a una mujer afroamericana.

Coleman escribió muchas cartas para organizar sus espectáculos aéreos. En ellas mostraba algunas de sus acrobacias (arriba).

Pero Coleman siguió insistiendo, así que decidió viajar a Francia, donde se ofrecían mayores oportunidades para las mujeres y las personas de color. Allí asistió a una de las mejores escuelas de aviación del país y en 1921 obtuvo su licencia.

Cuando Coleman regresó a los Estados Unidos, nadie le quería dar trabajo como piloto, porque era mujer y afroamericana. Para vivir, se convirtió en una acróbata del aire. Coleman fue una de las acróbatas más osadas. Por sus acrobacias sorprendentes, el público le dio sobrenombres como "la reina Bess" o "valiente Bessie".

Coleman usó su talento para defender sus principios. Nunca participó en ningún espectáculo al que no se le permitiera asistir a los afroamericanos.

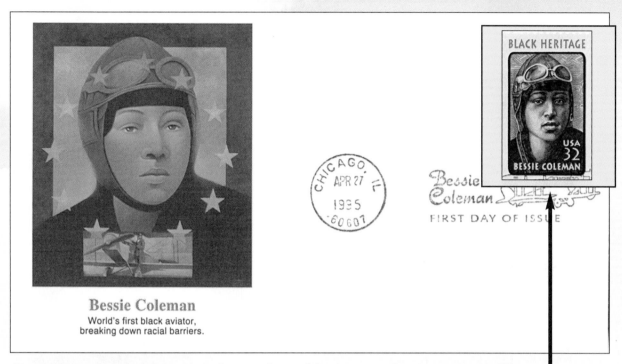

Bessie Coleman
World's first black aviator,
breaking down racial barriers.

En 1995, el servicio postal estadounidense creó una estampilla en honor a Coleman.

En Waxahachie, ella se negó a volar hasta que les permitieron a las personas de color entrar por la misma puerta que los blancos. Bessie Coleman visitó escuelas e iglesias de todos los Estados Unidos para incentivar a otros afroamericanos a conseguir sus sueños y a aprender a volar.

El mayor deseo de Coleman era tener su propia escuela de aviación para formar a aviadores afroamericanos. Lamentablemente, el 30 de abril de 1926, mientras Coleman practicaba para un espectáculo aéreo, el motor de su avión se trancó, el avión perdió el control y se estrelló. Coleman murió haciendo lo que más le gustaba. Pero su ejemplo durará para siempre: cuando enfrentes dificultades, sobrevuélalas.

Hank Greenberg

Toda una estrella

por Becky Cheston

Hank Greenberg

Hank Greenberg

Primer jonrón en las grandes ligas:
6 de mayo de 1933

Jugador más valioso de la Liga
Americana:
1935 y 1940

Miembro del equipo de las
estrellas:
1938 y 1940

Elegido para el Salón de la Fama:
25 de enero de 1956

Casi alcanza un récord: En 1938,
Greenberg conectó 58 jonrones y
casi superó el récord de 60
jonrones de Babe Ruth.

El 1 de julio de 1945, cuatro años, un mes y veinticuatro días después de haber emocionado a sus admiradores con un jonrón, a su regreso de la Segunda Guerra Mundial, Greenberg volvía al bate. Una multitud entusiasmada lo esperaba para ver lo que el bateador estrella de los Tigres de Detroit haría.

Antes de la guerra, Greenberg había sido elegido dos veces como el Jugador más valioso de la Liga Americana. En 1938, mucho antes de que Mark McGwire y Sammy Sosa nacieran, Greenberg le dio a sus admiradores un verano inolvidable cuando casi venció el récord de jonrones de Babe Ruth.

Pero ese día de 1945, la fanaticada se preguntaba si Greenberg aún tenía lo que se necesitaba para ser una estrella. La respuesta la dieron sus acciones; Greenberg sacó la pelota por la parte izquierda del campo.

Su secreto como beisbolista era el trabajo duro y la determinación. Aunque la gente decía que era demasiado alto o se burlaban de él porque era judío, Greenberg siempre se aferró a su sueño de jugar en las grandes ligas. "Yo no era un jugador nato, como Babe Ruth o Willie Mays, pero si se practica como yo lo hice, todo el día todos los días, no cabe duda de que se puede llegar a ser muy bueno", dijo Greenberg.

Greenberg salta para atajar una bola alta durante una práctica con el equipo de los Tigres de Detroit.

De niño, Greenberg siempre iba rápido a casa después de la escuela, tomaba su bate, su guante y su pelota y corría al parque de béisbol. Para practicar cómo pegarle a la pelota, les pedía a sus amigos que se la lanzaran. Para practicar cómo interceptar y devolver la pelota, les pedía a sus amigos que batearan mientras él contaba cuántas pelotas atajaba de manera consecutiva.

En 1929, a Greenberg le ofrecieron que jugara con varios equipos profesionales. Jugó con los Tigres de Detroit. En 1930, comenzó a jugar en las ligas menores, donde pasó tres largos años observando, practicando y aprendiendo.

Finalmente, en 1933, Greenberg tuvo su gran oportunidad. En su primer juego de grandes ligas con los Tigres, Greenberg botó la pelota del campo de juego: ¡jonrón!

Pero jugar béisbol no siempre fue divertido para Greenberg: cuando iba a batear, algunos fanáticos se burlaban de él porque era judío. Con el tiempo, al hacer que los Tigres obtuvieran cuatro banderines y que ganaran dos series mundiales, Greenberg obtuvo el respeto del público.

Greenberg en la base de bateo, listo para batear la pelota en un juego con su equipo.

En el último juego de la temporada en 1945, Greenberg conectó un jonrón con tres en base en la novena entrada. Este jonrón les permitió a los Tigres de Detroit obtener el banderín de la Liga Americana.

En el verano de 1934, Greenberg hizo algo más que se ganó la admiración del público. Los Tigres estaban luchando para ganar el banderín de la Liga Americana. Todos los juegos eran importantes. Pero uno de los juegos estaba programado para *Yom Kippur,* día en que se celebra una festividad judía muy importante. Greenberg no jugó ese día.

Todo el mundo hablaba de él. Edgar Guest, un famoso poeta, escribió:

Lo extrañaremos en el campo de juego y detrás del bate, pero él le es fiel a su religión y por eso lo respeto.

Cuando Greenberg entró a su sinagoga ese día, todo el mundo lo aplaudió: se había convertido en un héroe.

Greenberg también era un buen jugador en equipo. En 1940, a los Tigres les llegó un nuevo bateador, pero la única posición en la que podía jugar era la primera base, la posición de Greenberg. El equipo le pidió a Greenberg que jugara como jardinero. Algunos jugadores se enfurecerían por esto, pero Greenberg no. Él aceptó el cambio. Al principio tuvo problemas jugando de jardinero izquierdo, pero él practicaba por largas horas antes y después de los juegos. Incluso los vendedores de golosinas y algunos niños que se quedaban en el campo, le hacían lanzamientos.

Greenberg (a la derecha) fue elegido para el equipo de las estrellas dos veces. Otro famoso jugador de primera base que también estaba en el equipo era Lou Gehrig (a la izquierda).

Durante la Segunda Guerra Mundial, Greenberg fue el primer jugador estrella de béisbol que se alistó en las Fuerzas Armadas. Dejó el béisbol, donde le pagaban $11,000 mensuales, y se convirtió en soldado, donde ganaba $21 al mes. "Mi país viene primero", dijo. Una vez más se ganó la admiración del público por algo además de su talento en el béisbol.

En 1947, Greenberg se retiró del campo de juego, pero en realidad nunca se despidió del béisbol. Continuó como entrenador y dueño de un equipo. En 1956, recibió el mayor reconocimiento como beisbolista al ser incluido en el Salón de la Fama. Fue el primer jugador judío en lograrlo. Greenberg murió el 5 de septiembre de 1986, pero siempre será recordado como una estrella, dentro y fuera del campo de juego.

Greenberg (izquierda) con Joe DiMaggio, el 3 de septiembre de 1939.

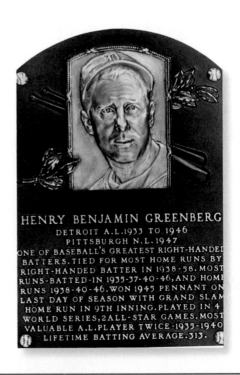

La placa de Greenberg en el Salón de la Fama Nacional de Béisbol, en Cooperstown, Nueva York.

Escribe una biografía

Investiga más acerca de una persona que te inspire curiosidad. Puede ser un presidente, un explorador o un músico. Busca datos sobre esa persona en libros, revistas, enciclopedias o en Internet. Escribe una biografía de la persona.

Consejos

- **Comienza la biografía con un dato importante sobre la persona.**
- **En la parte principal de la biografía, escribe primero sobre los primeros años de la vida de esa persona. Luego relata sobre los años siguientes de su vida.**
- **Dale un título interesante que atraiga la atención del lector.**

Martin Luther King Jr.

Louisa May Alcott

Neil Armstrong

Michelle Kwan

Escritura Entender materiales de referencia
Escribir narraciones

Conoce a otros personajes de la vida real

Wilma sin límites: Cómo Wilma Rudolph se convirtió en la mujer más rápida del mundo
por Kathleen Krull (Harcourt Brace)
Biografía ejemplar de Wilma Rudolph, la estrella de los Juegos Olímpicos de 1960.

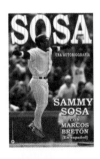

Sammy Sosa: Héroe de los jonrones
por Jeff Savage (Lerner Publishing Group)
Sammy Sosa explica cómo su entusiasmo y su amor por el béisbol lo convirtieron en uno de los atletas más populares del mundo.

John F. Kennedy
por Steve Potts (Bridgestone Books)
Se describe la vida y los logros del presidente número treinta y cinco de los Estados Unidos.

Soluciones brillantes

El que la sigue
la consigue.

dicho tradicional

237

Soluciones brillantes

Contenido

Biblioteca del lector

- **Tony el alto**
- **Un poco más picante no hace daño**
- **El clavado**

Libros del tema

Laura y el ratón
por Vicente Muñoz Puelles
ilustrado por Noemí Villamuza

Óscar y el león de Correos
por Vicente Muñoz Puelles
ilustrado por Noemí Villamuza

La ciudad que tenía de todo
por Alfredo Gómez Cerdá ilustrado por Teo Puebla

Libros relacionados

Si te gusta…

Pepita habla dos veces
por Ofelia Dumas Lachtman

Entonces lee…

Pepita y el color rosado
por Ofelia Dumas Lachtman
(Arte Público)

Cuando una niña se muda a la casa de al lado de Pepita, ésta cambia de idea sobre el color rosa.

El camino de Amelia
por Linda Jacobs Altman
(Lee & Low Books)

Amelia encuentra un camino secreto y una caja abandonada, la cual se convierte en un cofre para sus pertenencias más preciadas y el deseo de un futuro mejor.

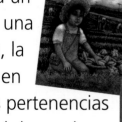

Si te gusta…

Los pantalones nuevos de Papi
por Angela Shelf Medearis

Entonces lee…

Los pájaros de la cosecha
por Blanca López de Mariscal
(Childrens Book Press)

Un hombre escucha la voz de la naturaleza y encuentra un sueño en su mensaje cuando la tierra se divide entre sus dos hermanos mayores.

Bajo la luna de limón
por Edith Hope Fine
(Lee & Low Books)

Una niña ayuda a una familia pobre cuando descubre que han estado robando limones de su árbol.

Si te gusta…

Ramona empieza el curso
por Beverly Cleary

Entonces lee…

Ramona y su madre

por Beverly Cleary
(Morrow Junior Books)

Ramona trata de ser mayor a pesar de que es la más pequeña de la familia.

Algo especial para mí

por Vera B. Williams
(Mulberry Books)

El cumpleaños de Rosa está cerca y no sabe qué comprar con el dinero que su mamá ha estado ahorrando en un tarro.

Tecnología

En Education Place

Añade tus informes de estos libros o lee los informes de otros estudiantes.

Education Place®

Visita www.eduplace.com/kids

Palabras en español

Pepita habla dos veces

Vocabulario

enchiladas
español
lenguas
salsa
taco
tamales
tortilla

Estándares

Lectura

- Identificar datos importantes

La niña del cuento que leerás a continuación habla dos **lenguas**: inglés y **español**. Puede resultar sorprendente que muchas de las palabras en español también se usan en inglés. ¿Conoces las palabras *enchiladas*, *plaza*, *rodeo*, *salsa* o *tortilla*? Ésas son palabras que también se usan en inglés. A continuación verás más palabras en español que se usan en inglés. ¿Cuáles conoces?

iguana

taco

tamales

armadillo

tornado

guitarra

243

Conozcamos a la autora
Ofelia Dumas Lachtman

Cumpleaños: 9 de julio

Dónde vive: Los Ángeles, California

Autora favorita cuando era niña: Louisa May Alcott, autora de *Mujercitas*

De dónde toma sus ideas: "Tomo mis ideas de hacer garabatos, a veces mientras estoy sentada debajo de un árbol".

Pasatiempos: caminar, escuchar música, cuidar a sus gatos

Otros libros: *Pepita Thinks Pink/Pepita y el color rosado*

Conozcamos al ilustrador
Mike Reed

Cumpleaños: 22 de agosto

Dónde creció: Northville, Michigan

Dónde vive ahora: Minneapolis, Minnesota

Sus hijos: Alex y Joseph

Su perrito: Su hijo menor lo llamó *Mousse* porque "es color café y muy dulce".

Otros libros:

Christopher (por Lauren Wohl)

Space Dogs from the Planet K-9 (por Joan Holub)

Taming the Wild Waiyuuzee (por Rita Williams-Garcia)

Si quieres saber más acerca de Ofelia Dumas Lachtman y Mike Reed, visita Education Place.
www.eduplace.com/kids

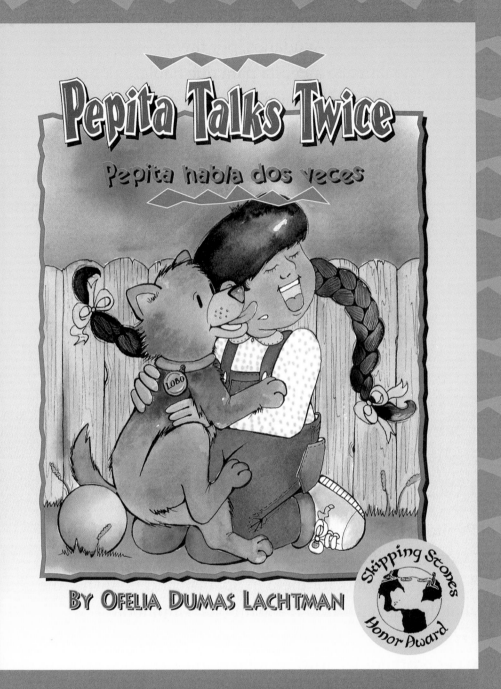

Pepita Talks Twice

Pepita habla dos veces

BY OFELIA DUMAS LACHTMAN

Skipping Stones
Honor Award

Estrategia clave

Mientras averiguas por qué Pepita tiene que hablar dos veces, **evalúa** cómo la autora hace que Pepita y su problema te parezcan reales.

Pepita era una niña pequeña que hablaba español e inglés.

—Ven acá, Pepita. Ayúdanos, por favor —le decía la gente. Todo el mundo llamaba a Pepita para que hablara por ellos en español y en inglés. Y ella hacía lo que le pedían sin quejarse. Hasta hoy.

Hoy, Pepita no tenía ganas de ayudar a nadie. Quería llegar a casa antes que su hermano Juan. Quería enseñarle un nuevo truco a su perro Lobo. Quería enseñarle a recoger la pelota. Y si Pepita no se apuraba, Juan se lo iba a enseñar a Lobo primero.

Pepita was a little girl who spoke Spanish and English.

"Come, Pepita, please help us," people would say. Everybody called on Pepita to talk for them in Spanish and English. And she did what they asked without a grumble. Until today.

Today she didn't want to help anyone. She wanted to get home before her brother Juan [HWAN]. She wanted to teach their dog Lobo a new trick. She wanted to teach him to fetch a ball. But if she didn't hurry, Juan would teach Lobo first.

247

Pepita salió corriendo por la tienda de Mr. Hobbs, pero no pudo escaparse a tiempo. —Pepita —Mr. Hobbs la llamó—. Ven para que le hables a esta señora en español. ¡Dime lo que quiere!

Pepita hizo lo que Mr. Hobbs le pedía, pero muy por dentro sintió el principio de una queja.

Pasó en puntillas por la casa donde vivía su Tía Rosa, pero no pasó sin hacer un poco de ruido. —Pepita, ven a hablarle al repartidor en inglés. ¡Mira a ver qué quiere!

Pepita hizo lo que su tía le pidió, pero muy por dentro la queja se fue haciendo más fuerte.

Pepita raced by the grocery store that belonged to Mr. Hobbs, but not fast enough. "Pepita," Mr. Hobbs called. "Come speak to this lady in Spanish. Tell me what she wants!"

Pepita did what Mr. Hobbs asked. But deep inside of her a grumble began.

She tiptoed by the house where her Aunt Rosa lived, but not softly enough. "Pepita," her aunt called in Spanish. "Come talk to the delivery man in English. Tell me what he wants!"

Pepita did what Aunt Rosa asked. But deep inside of her the grumble grew.

Se deslizó detrás de la cerca de sus vecinos con la cabeza agachada, pero no la bajó lo suficiente.

—Pepita —Miguel la llamó y le dijo en español— mi madre quiere que hables por teléfono en inglés. Por favor, ven a ver lo que el hombre quiere.

Pepita hizo lo que Miguel le pidió, pero muy por dentro la queja se hizo más fuerte todavía.

Y cuando entró en su propio jardín y encontró que su hermano Juan ya estaba enseñándole a Lobo a recoger la pelota, la queja se volvió tan fuerte que explotó.

—¡Si yo no hablara español e inglés —exclamó—, habría llegado aquí primero!

She ducked behind the fence as she went by her neighbors' house, but not low enough.

"Pepita," Miguel called and said in Spanish, "my mother wants you to talk on the telephone in English. Please tell her what the man wants."

Pepita did what Miguel asked. But deep inside of her the grumble grew larger.

And when she went into her own yard and found her brother Juan teaching Lobo to return a ball, the grumble grew so big that it exploded.

"If I didn't speak Spanish and English," she burst out, "I would have been here first!"

250

Esa noche, ya en cama Pepita se puso a pensar y pensar. Cuando amaneció, ya había decidido lo que iba a hacer. Deslizándose de la cama, pasó en puntillas junto a Lobo, que dormitaba en el piso. Entró rápidamente en la cocina, donde su madre estaba preparando el desayuno y Juan estaba comiendo.

—Nunca más voy a volver a hablar español —Pepita dijo en voz muy alta.

—Ésa es una gran tontería —Juan le dijo.

—¡Ay, ay, Pepita! ¿Por qué? —le dijo su mamá.

—Porque estoy cansada de hablar dos veces.

—¿Cómo dos veces? —su madre le preguntó.

—¡Sí! Primero en inglés y después en español. Así que no voy a hablar más en español.

That night as Pepita lay in bed, she thought and thought. By morning she had decided what she would do. She slipped out of bed and tiptoed by Lobo, who was sleeping on the floor. She hurried into the kitchen, where her mother was cooking breakfast and Juan was eating.

"I am never, ever going to speak Spanish anymore," Pepita said loudly.

"That's pretty dumb," Juan said.

"My, oh my, Pepita. Why?" her mother asked.

"Because I'm tired of talking twice."

"Twice?" her mother asked.

"Yes! Once in Spanish and once in English. So I'm never going to speak Spanish anymore."

Juan mordió un pedazo de tortilla y se sonrió. —¿Cómo vas a pedir enchiladas y tamales... y tacos con salsa? —preguntó—. Todas ésas son palabras españolas, ¿sabes?

—Buscaré la forma —Pepita dijo arrugando la frente. No había pensado en eso antes.

Después de desayunar, Pepita besó a su madre, recogió la lonchera con su almuerzo y salió para la escuela. Afuera, bajó la lonchera al suelo y cerró la verja del jardín, pero no del todo. Lobo abrió la verja de un empujón y la siguió.

—Wolf —Pepita lo regañó—, go home! —Pero Lobo le meneó la cola y la siguió hasta la esquina.

Juan took a bite of tortilla and grinned. "How will you ask for enchiladas and tamales . . . and tacos with salsa?" he asked. "They are all Spanish words, you know."

"I will find a way," Pepita said with a frown. She hadn't thought about that before.

After breakfast, Pepita kissed her mother, picked up her lunch box, and started to school. Outside, she put her lunch box down and closed the gate to the fence, but not tight enough. Lobo pushed the gate open and followed at her heels.

"Wolf," Pepita scolded, "go home!" But Lobo just wagged his tail and followed her to the corner.

—Mr. Jones —Pepita le dijo al guardia de cruce—, ¿puede guardarme a Wolf? Si lo llevo a casa otra vez, voy a llegar tarde a la escuela.

—Yo te lo llevaré a casa cuando termine —Mr. Jones le dijo—. Pero yo creía que su nombre era Lobo.

—No —Pepita le dijo—. Él se llama Wolf ahora. Yo ya no hablo español.

—¡Qué lástima! —dijo Mr. Jones tomando su letrero rojo de "Alto"—. Yo creía que era bueno hablar dos lenguas.

—No es nada bueno, Mr. Jones. No cuando uno tiene que hablar dos veces.

"Mr. Jones," Pepita said to the crossing guard, "will you please keep Wolf for me? If I take him back home, I'll be late for school."

"I'll walk him home when I'm through," Mr. Jones said. "But I thought his name was Lobo?"

"No," Pepita said. "His name is Wolf now. I don't speak Spanish anymore."

"That's too bad," said Mr. Jones, picking up his red stop sign. "I thought it was a good thing to speak two languages."

"It's not a good thing at all, Mr. Jones. Not when you have to speak twice!"

En la escuela, la maestra, Miss García, se sonrió y dijo:
—Tenemos una nueva alumna comenzando hoy. Se llama Carmen y
no habla inglés. Todos debemos de ayudarla lo más que podamos.

Miss García miró hacia Pepita y le dijo: —Pepita, por favor,
dile a Carmen donde puede poner su almuerzo y donde está todo.

Carmen le sonrió a Pepita y Pepita tuvo ganas de salir corriendo
y esconderse, pero se levantó y dijo en inglés: —Lo siento, Miss García,
pero no puedo. Yo ya no hablo español.

—¡Qué lástima! —dijo la maestra—. Es tan maravilloso hablar
dos lenguas.

Pepita murmuró entre dientes: —¡No es nada maravilloso, no
cuando uno tiene que hablar dos veces!

At school her teacher, Miss García, smiled and said, "We have
a new student starting today. Her name is Carmen and she speaks
no English. We must all be as helpful as we can."

Miss García looked at Pepita and said, "Pepita, please tell
Carmen where to put her lunch and show her where everything is."

Carmen smiled at Pepita and Pepita just wanted to run away
and hide. Instead, she stood up and said, "I'm sorry, Miss García,
but I can't. I don't speak Spanish anymore."

"That is really too bad," her teacher said. "It's such a wonderful
thing to speak two languages."

Pepita mumbled to herself, "It is not a wonderful thing at all,
not when you have to speak twice!"

$$\frac{3}{4} + \frac{1}{4} =$$

$$\frac{5}{6} - \frac{2}{6} =$$

Cuando Pepita entró en su jardín al regresar de la escuela, encontró a Lobo durmiendo en el portal. —¡Wolf, ven acá, despiértate! —le dijo en inglés. Pero el perro no abrió ni un ojo ni meneó una oreja.

Desde la acera, Juan gritó en español: —¡Lobo! ¡Ven acá! —Lobo salió disparado hacia la verja, ladrando.

Juan se rió y dijo: —Oye, Pepita, ¿cómo vas a enseñarle trucos a Lobo si tú no hablas español?

—Ya buscaré la forma —Pepita dijo arrugando la frente. No había pensado en esto tampoco.

When Pepita walked into her yard after school, she found Lobo sleeping on the front porch. "Wolf, come here!" she called. "Wolf, wake up!" But he didn't open an eye or even wiggle an ear.

From the sidewalk behind her, Juan shouted, "¡Lobo! ¡Ven acá!" Like a streak, Lobo raced to the gate and barked.

Juan laughed and said, "Hey, Pepita, how are you going to teach old Lobo tricks if you don't speak Spanish?"

"I'll find a way," Pepita said with a frown. She had not thought about this either.

El vecino de Pepita, Miguel, estaba en la acera jugando con una pelota de goma. Sus hermanos estaban sentados en el portal cantando. Cuando la vieron, la llamaron: —¡Ven, Pepita! ¡Ven a cantar con nosotros!

—No puedo —respondió—. Todas las canciones de ustedes son en español y yo ya no hablo español —dijo en inglés.

—¡Qué lástima! —dijeron—. ¿Cómo vas a poder cantar con nosotros en las fiestas de cumpleaños?

—Buscaré la forma —Pepita dijo arrugando la frente. Esto era algo más que no había pensado.

Pepita's neighbor Miguel was on the sidewalk bouncing a rubber ball. His brothers and sisters were sitting on their front porch singing. When they saw her, they called, "Come, Pepita! Sing with us!"

"I can't," she called. "All of your songs are in Spanish, and I don't speak Spanish anymore."

"Too bad," they said. "How will you help us sing at the birthday parties?"

"I'll find a way," Pepita said with a frown. This was something else she had not thought about.

En la mesa a la hora de comer, la madre de Pepita les dijo a todos que Abuelita iba a llegar al día siguiente. —Abuelita me dice que tiene un cuento nuevo para Pepita.

Juan se rió. —Abuelita cuenta todos sus cuentos en español. ¿Cómo te las vas a arreglar ahora?

—No importa —dijo Pepita en inglés—. Puedo escuchar en español.

—¿Qué pasa? ¿Qué pasa? —el padre de Pepita dijo en español—. What's going on? —dijo luego en inglés.

Pepita tragó con dificultad. —I don't speak Spanish anymore, Papá —dijo.

—¡Qué lástima! —dijo su padre—. Es muy bueno saber dos lenguas.

—No es nada bueno —Pepita dijo y luego se detuvo. Su papá la miraba, arrugando la frente.

At the supper table, Pepita's mother told everyone that Abuelita [ah-bweh-LEE-ta], their grandmother, was coming the next day. "Abuelita says she has a new story for Pepita."

Juan laughed. "Abuelita tells all her stories in Spanish. What are you going to do now?"

"Nothing," said Pepita. "I can listen in Spanish."

"¿Qué pasa? ¿Qué pasa?" Pepita's father said. "What is going on?"

Pepita swallowed hard. "I don't speak Spanish anymore, Papá," she said.

"Too bad," her father said. "It's a fine thing to know two languages."

"It's not a fine thing at all," Pepita said and then stopped. Her father was frowning at her.

264

—¡Hasta le dice 'Wolf' a Lobo! —Juan dijo.

—¿'Wolf'? —dijo su padre con aún más arrugas en la frente.
—Bueno, Pepita, entonces vamos a tener que encontrarte un
nombre nuevo. ¿Cómo vas a responder a 'Pepita' si ése ya no es
tu nombre?

—Ya buscaré la forma —Pepita dijo suspirando muy hondo.
Esto era algo que nunca había pensado antes.

Esa noche cuando se acostó, Pepita estiró las cobijas hasta
la barbilla y puso una cara de terca. —Buscaré la forma —dijo—.
Si quiero, puedo ponerme el nombre de Pete. Puedo escuchar en
español. Puedo tararear cuando canten. Puedo llamarle al taco
sandwich redondo de maíz doblado, tostado y crujiente. ¡Y Wolf tendrá
que aprenderse su nombre! —Con esto se dio la vuelta y se durmió.

"She even calls Lobo 'Wolf'!" Juan said.

"Wolf?" her father said, and his frown grew deeper. "Well
then, Pepita, we'll have to find a new name for you, won't we?
How will you answer to Pepita if that is no longer your name?"

"I'll find a way," Pepita said with a long sad sigh. This was
something she had never ever thought about before.

That night when she went to bed, Pepita pulled the blankets up
to her chin and made a stubborn face. "I'll find a way," she thought.
"If I have to, I can call myself Pete. I can listen in Spanish. I can
hum with the singing. I can call a taco a crispy, crunchy, folded-
over, round corn sandwich! And Wolf will have to learn his name!"
With that she turned over and went to sleep.

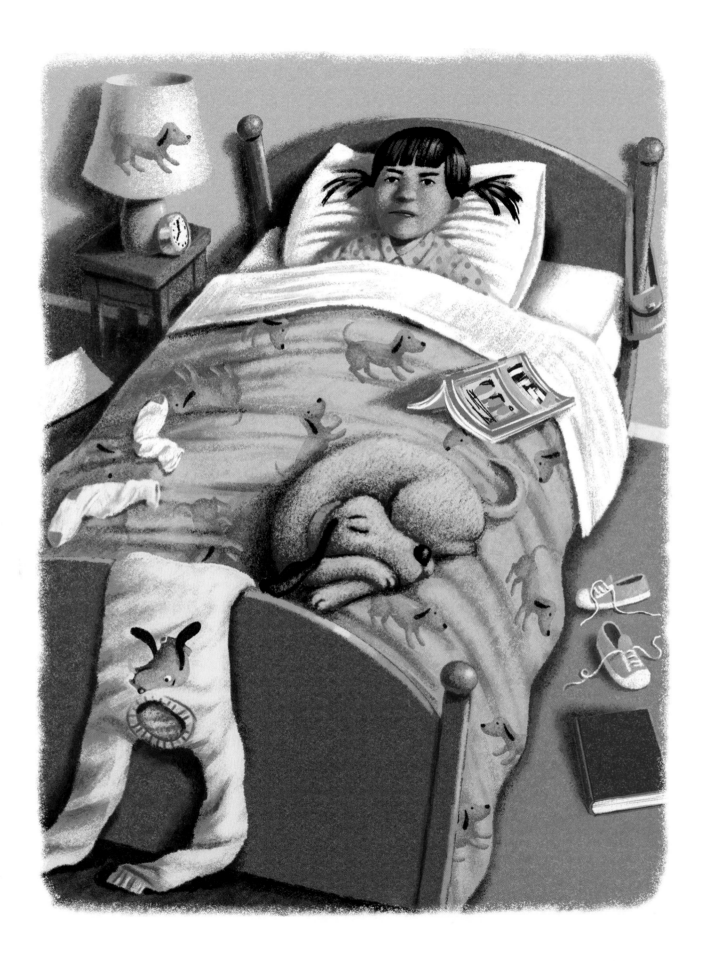

Por la mañana, cuando Pepita iba a salir para la escuela, su amigo Miguel tiró su pelota al jardín de Pepita. Lobo la recogió y la dejó caer a los pies de Pepita.

—Eres un buen perro, Wolf —dijo ella en inglés.

Pepita colocó la lonchera en el suelo y le tiró la pelota de vuelta a Miguel. El niñito se rió y aplaudió. En el mismo momento en que Pepita abría la verja, Miguel volvió a tirarle la pelota. Esta vez cayó en la calle. Lobo corrió disparado a buscarla.

—Wolf! —Pepita gritó. Pero Lobo no le prestó atención y salió por la verja.

—Wolf! Come here! —Pepita gritó. Pero Lobo corrió hasta la misma calle.

¡Un automóvil se aproximaba!

In the morning, when Pepita was leaving for school, her friend Miguel threw his ball into her yard. Lobo fetched it and dropped it at Pepita's feet.

"You're a good dog, Wolf," she said.

She put her lunch box down and threw the ball back to Miguel. The little boy laughed and clapped his hands. Just as she was opening the gate, he threw the ball again. This time it went into the street. Like a flash, Lobo ran after it.

"Wolf!" Pepita yelled. But Lobo didn't listen and went through the gate.

"Wolf! Come here!" Pepita shouted. But Lobo darted right into the street.

A car was coming!

269

Pepita cerró los ojos. —¡Lobo! —gritó en español—. ¡Lobo! ¡Ven acá!

Lobo dió la vuelta un instante antes de que los frenos del automóvil chillaran. Cuando Pepita abrió los ojos, la pelota rodaba hacia el otro lado de la calle. Un hombre con la cara roja de furia gritaba por la ventanilla de su carro y Lobo regresaba corriendo al jardín.

Pepita cerró la verja firmemente detrás de Lobo y lo abrazó. —¡Lobo, oh, Lobo, viniste cuando te llamé en español!

Pepita escondió la cara en el pelaje caliente del perro. —Nunca más te llamaré Wolf —dijo—. Tu nombre es Lobo, como el mío es Pepita. Y ¡oh, Lobo, cómo me alegro de haber hablado dos veces! ¡Qué maravilloso es hablar dos lenguas!

Pepita closed her eyes. "¡Lobo!" she screamed. "¡Lobo! ¡Ven acá!"

Lobo turned back just before a loud screech of the car's brakes. Pepita opened her eyes in time to see the ball roll to the other side of the street. A red-faced man shouted out the window of the car, and Lobo raced back into the yard!

Pepita shut the gate firmly behind Lobo and hugged him. "Lobo, oh, Lobo, you came when I called in Spanish!"

She nuzzled her face in his warm fur. "I'll never call you Wolf again," she said. "Your name is Lobo. Just like mine is Pepita. And, oh, Lobo, I'm glad I talked twice! It's great to speak two languages!"

Piensa en la selección

1. ¿Por qué Pepita se queja al principio del cuento?

2. ¿Cómo las otras personas hacen que Pepita cambie su opinión sobre su problema?

3. ¿Por qué crees que la autora le da tanta importancia a Lobo en el cuento?

4. Después de leer el cuento, ¿qué te parece lo mejor de hablar dos lenguas?

5. ¿Qué lenguas nuevas te gustaría aprender? Explica.

6. **Conectar/Comparar** De las decisiones de Pepita, ¿cuál crees que es una solución brillante? Explica tu respuesta.

Persuadir

Escribe una opinión

¿Qué piensas sobre lo que hace Pepita? ¿Hizo ella lo correcto cuando dejó de hablar español? ¿Qué otra cosa pudo haber hecho para resolver su problema? Escribe tu opinión y compártela con un compañero de clases.

Consejos

- **Concéntrate en una o dos de las decisiones de Pepita.**
- **Presenta tu opinión de manera respetuosa.**
- **Utiliza frases como *Creo* o *Me parece que*.**

Actúa en un teatro de lectores

Forma un grupo pequeño y escojan dos o tres escenas del cuento para leer en voz alta. Decidan quién va a leer cada parte, incluyendo el narrador. Practiquen leyendo las partes correspondientes entre todos. Luego, presenten las escenas frente a la clase.

Consejos

- **Habla pausada y claramente.**
- **Muestra expresiones con tu cara y tu voz.**
- **Permite que otros lectores terminen sus diálogos antes de que tú comiences el tuyo.**

Ponle etiquetas a tu salón de clases

Haz etiquetas en español para objetos en tu salón de clases. En una nota autoadhesiva, escribe una palabra en español de la lista de abajo. Pon la nota con el nombre al lado del objeto. Repite con otras palabras de la lista.

el libro

Extra Utiliza un diccionario inglés-español para hacer más etiquetas para tu salón.

Español	Inglés
el pizarrón	chalkboard
el escritorio	desk
la silla	chair
la ventana	window
el papel	paper
el lápiz	pencil
el libro	book
el almuerzo	lunch

Internet

Resuelve una cuadrícula misteriosa en español

Repasa palabras de conteo en español. Visita Education Place y resuelve una cuadrícula en español e inglés. **www.eduplace.com/kids**

Lectura
Escuchar/Hablar
Usar un diccionario
Presentar interpretaciones
dramáticas

Destreza: Cómo leer un poema

❶ **Lee** el poema varias veces. Identifica patrones, como ritmo o rima, en las palabras.

❷ El mismo poema está escrito en dos lenguas. **Observa** el poema en las dos lenguas. **Compara** los títulos, el número de palabras y la puntuación.

❸ **Piensa** en la idea o el sentimiento que el poeta intenta expresar.

Estándares

Lectura

• **Mensaje del autor**

• **Reconocer sonidos y patrones**

274

Pedacito de nopal

Mamá me dice "pedacito de nopal"
cuando me enojo, cuando pataleo.

Mamá me dice "tunita" y me comería a besos
cuando sonrío, cuando soy tierna.

Little Piece of Prickly Pear

Mama calls me her little piece of prickly pear
when I am sour, when I stamp my feet.

Mama calls me her little *tuna*, good enough to eat
when I am smiling, when I am sweet.

Tony Johnston

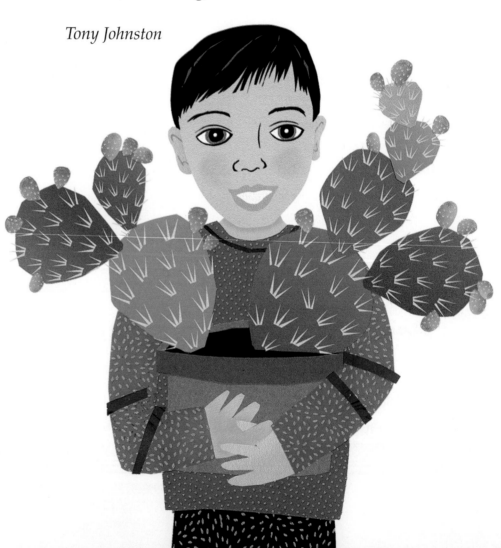

Me gusta montar mi bicicleta

Estoy lista para mi paseo en bicicleta. Llevo
mis largas bermudas azules, mi casco rojo y
una camiseta blanca colgando hasta las rodillas.
Un pedal
gira
y luego, ¡parto!

Las hojas se desvanecen en el verdor del aire
La gente grita ¡Hola! ten cuidado
quédate en la acera.

El viento refresca mis brazos
y piernas.
Me siento libre.

I Like to Ride My Bike

I'm ready
for a bike ride. I wear
long blue shorts, my red helmet and
a white T-shirt hanging to my knees.
One pedal
spins
and then, I'm off!

Leaves blur into green air
people shout hello, be careful
stay on the sidewalk.

The wind cools my arms
and legs.
I feel free.

Lori Marie Carlson

Las canciones de mi abuela

compartían
el ritmo
de la lavadora

transformaban
la cocina
en una pista de baile

consolaban
las sillas
patas arriba

alegraban
los retratos colgados
de la familia

arrullaban
las sábanas
en el tendedero

les daban sabor
a los frijoles
de olla

las canciones
que cantaba
mi abuela

eran capaces
de hacer salir
a las estrellas

convertir
a mi abuela
en una joven

que de nuevo
iba por agua
al río

y hacerla
reír y llorar
a la vez

My Grandma's Songs

would follow
the beat of
the washing machine

turning
our kitchen
into a dance floor

consoling
the chairs placed
upside down

delighting
the family portraits
on the walls

putting to sleep
the sheets
on the clothesline

giving flavor
to the boiling pot
of beans

the songs
my grandma
used to sing

could make
the stars
come out

could turn
my grandma
into a young girl

going back
to the river
for water

and make her
laugh and cry
at the same time

Francisco X. Alarcón

Ensayo persuasivo

El objetivo de un ensayo persuasivo es convencer a alguien para que piense o actúe de una manera determinada. Utiliza esta muestra de escritura cuando escribas tu propio ensayo persuasivo.

Un ensayo persuasivo establece un **objetivo** y presenta **razones**.

Es importante apoyar tus razones en **hechos** y **ejemplos**.

Trabajar juntos

Yo pienso que el trabajo en equipo es importante porque te ayuda a aprender más, a tomar mejores decisiones en la escuela y te ayuda a hacer amigos.

El trabajo en equipo te ayuda a aprender más porque si no sabes algo, lo puedes aprender de tus amigos. Una vez, en la escuela, yo no sabía cómo hacer un proyecto con un mapa. Era muy difícil. Mi amigo Javier sabía cómo hacer el proyecto y me enseñó. Trabajamos en equipo. Si lo haces, puedes ayudar a alguien a aprender algo que no sabe.

Otra razón de la importancia del trabajo en equipo es que te ayuda a tomar mejores decisiones en la escuela. Tus compañeros de equipo te ayudan a escuchar al maestro.

Escritura Escribir un párrafo
Hechos y detalles

Ellos te dicen que no hagas cosas peligrosas. Una vez una niña en nuestra clase no le estaba prestando atención a las reglas y yo la ayudé, mostrándole cuáles eran las normas y por qué eran importantes.

Cada hecho y ejemplo necesita un párrafo propio.

La última razón de la importancia del trabajo en equipo es que te ayuda a hacer amigos al trabajar juntos. Cuando trabajas en equipo aprendes cosas sobre los demás miembros de tu equipo. Aprendes a hablar con ellos y a resolver problemas juntos.

Pienso que todas las personas deberían trabajar en equipo porque te enseña a tomar buenas decisiones, a aprender más que cuando trabajas solo y a hacer nuevos amigos. Trabajar en equipo también es muy divertido.

El **final** resume un ensayo persuasivo.

Conozcamos a la autora

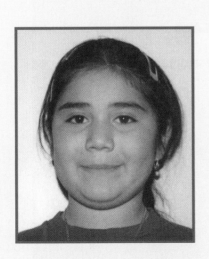

Nancy A.

Grado: tercero

Estado: Michigan

Pasatiempos: escribir cuentos y usar la computadora

Qué quiere ser cuando sea mayor: maestra

Los pantalones nuevos de Papi

por Angela Shelf Medearis
ilustrado por John Ward

Los pantalones nuevos de Papi

Vocabulario

diseño a cuadros
diseños
hacerles el
    dobladillo
remendarlos
tela

Estándares

Lectura

- Aplicar conocimientos previos
- Identificar datos importantes

Coser ropa

¿Alguna vez has tenido un par de pantalones muy largos, o que se te han roto accidentalmente? Si te ha ocurrido, entonces probablemente sepas lo que significa **remendarlos**. Después de remendar tu ropa, te quedará perfecta y te verás muy bien.

Para cubrir un hueco, generalmente necesitas buscar otro pedazo de **tela**. Luego, debes coser un parche de tela sobre el hueco.

Cuando la ropa es muy larga, como los pantalones en la selección que vas a leer, debes **hacerles el dobladillo**. Dobla la tela hacia adentro y cósela.

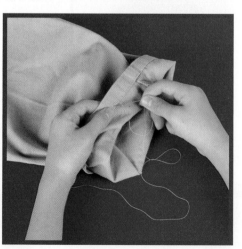

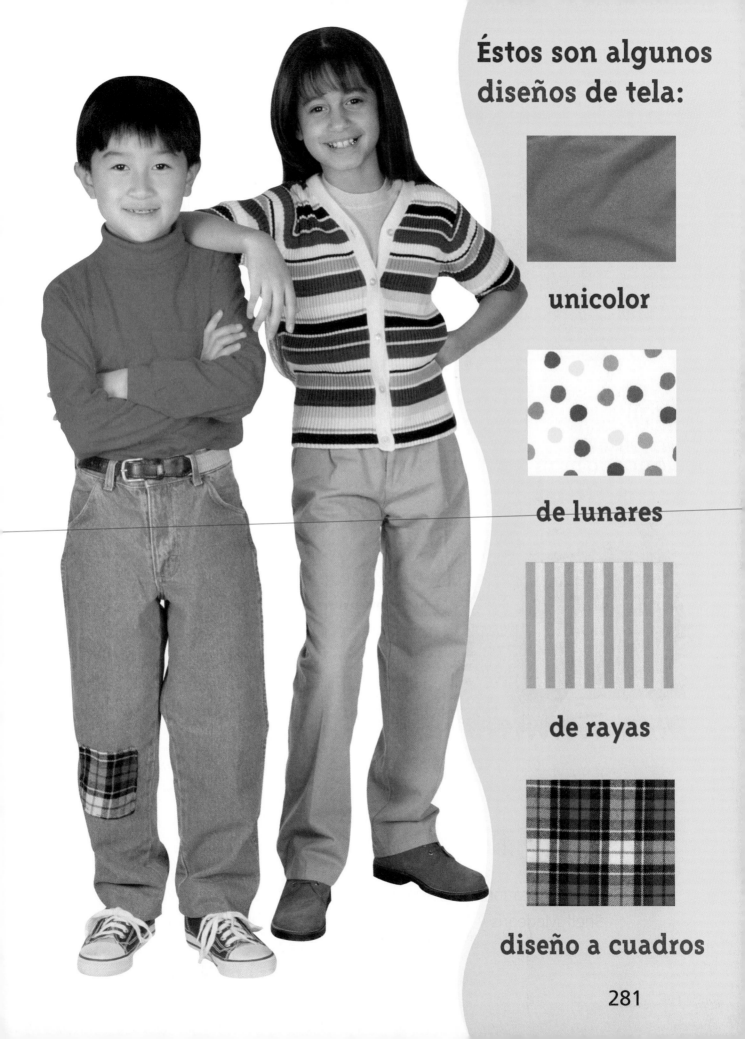

Éstos son algunos diseños de tela:

unicolor

de lunares

de rayas

diseño a cuadros

281

Conozcamos a la autora
Angela Shelf Medearis

Dónde vive: Austin, Texas

Dato curioso: Un día comenzó a contar todos los libros ilustrados que tiene. ¡Contó 500 y tuvo que parar porque estaba muy cansada!

Sus libros: Ella escribe cuentos graciosos porque piensa que la risa es el sonido más feliz de todo el mundo.

Otros libros: *Annie's Gifts*, *Too Much Talk*, *Princess of the Press*, *The Singing Man*

Conozcamos al ilustrador
John Ward

Dónde vive: Vive en Freeport, Nueva York, con su esposa, Olimpia, y su gato *Pumpkin*.

Dato curioso: Una vez trabajó en equipo con Angela Shelf Medearis para escribir *Poppa's Itchy Christmas*, otro cuento gracioso con los personajes de *Los pantalones nuevos de Papi* (*Poppa's New Pants*).

Otros libros: *Fireflies for Nathan* (por Shulamith Levey Oppenheim), *The Bus Ride* (por William Miller)

Visita Education Place si quieres saber más acerca de Angela Shelf Medearis y John Ward. **www.eduplace.com/kids**

Los pantalones nuevos de Papi

por Angela Shelf Medearis
ilustrado por John Ward

Cuando Papi compra pantalones nuevos toda su familia participa. Al leer, usa lo que sabes sobre los personajes para **predecir** lo que pasará a continuación.

Lectura   Hacer y modificar predicciones

La casa era un alboroto. La abuela Chiquita había pasado toda la mañana corriendo de aquí para allá como un tornado en Texas. Mamá Grande y la tía Viney venían de visita. La abuela Chiquita quería que todo y todos se vieran bien para cuando su mamá y su hermana llegaran. Papi y yo habíamos sacudido tantas alfombras, limpiado tantas ventanas y arreglado tantos muebles que sudábamos a chorros.

Ambos nos alegramos mucho cuando la abuela Chiquita nos dijo que engancháramos al viejo Buck y fuéramos a la tienda.

285

—¡Hola, Papi! ¡Hola, George! —dijo el Sr. Owens, el tendero, cuando llegamos—. ¿En qué les puedo servir hoy?

—Tengo una lista de cosas que debo buscar para Chiquita —dijo Papi—. Su mamá y su hermana llegan hoy de Kansas City. Está como loca haciéndose cargo de que todo esté bien.

El Sr. Owens se reía mientras Papi le daba la lista. Papi y yo dábamos vueltas en la tienda mientras el Sr. Owens preparaba nuestro pedido. Nos divertíamos mirando las herramientas de granja, nuevas y brillantes, cuando de repente Papi vio una pila de pantalones sobre una mesa. La mayoría eran negros o marrones de pana.

—Nada bueno que escoger —dijo Papi. Pero cuando llegó el final de la pila dio un largo silbido.

—George —dijo mientras sostenía un par de pantalones para que yo lo viera—, ¿qué te parecen éstos?

Eran unos pantalones grises con un diseño a cuadros rojos. La tela era aterciopelada como la nariz del viejo Buck.

—Se ven muy bien, Papi —dije—, pero deben haber sido para un gigante. Son demasiado largos para ti.

Papi sostenía los pantalones sobre su cintura. Eran tan largos que la tela sobrante se tendía sobre el suelo.

—Bueno, sí son largos —dijo Papi—, pero apuesto a que tu abuela Chiquita puede hacerles el dobladillo antes de ir a la iglesia en la mañana.

Papi me guiñó el ojo y añadió los largos pantalones a la pila de cosas que estábamos comprando para la abuela Chiquita. Yo le guiñé el ojo y tomé el palillo de menta más grande que pude encontrar. Papi sacó su vieja cartera de cuero y pagó todo.

Mamá Grande y la tía Viney ya habían llegado cuando regresamos a casa. Deben haber estado muy felices de verme porque me sacaron de la carreta como si fuera un muñeco de trapo. Mamá Grande me abrazó tan fuerte que me sacó el aire. Luego, la tía Viney y Mamá Grande se turnaban para besuquearme y colorear mi cara de rojo con pintura de labios. Casi me ahogué en un mar de besos babosos.

—¡Entren todos! —dijo la abuela Chiquita finalmente—. La cena está casi lista.

La abuela empujó a Papi dentro de la casa para guardar las compras. Yo corrí detrás de ellos tan rápido como pude.

Papi soltó la bolsa y sacó sus pantalones nuevos. Orgulloso, los tendió sobre la mesa para que la abuela Chiquita, Mamá Grande y la tía Viney los pudieran ver.

—¡Qué tela tan buena!
—dijo Mamá Grande.

—¡Qué diseño tan lindo!
—dijo la tía Viney.

—Sí, son unos pantalones muy bonitos —dijo la abuela Chiquita—.
Pero son extremadamente grandes para un hombre tan pequeñito como tú,
Papi. ¡Mira! Son casi tan largos como un mantel.

—Bueno querida —dijo Papi—, pensaba que podrías cortarles unas seis
pulgadas y hacerles el dobladillo para que me los pueda poner mañana para
ir a la iglesia.

—¡Ay, mi amor —dijo la abuela Chiquita—, estoy muerta de cansancio!
He estado cocinando y limpiando desde que amaneció. Tan pronto esté lista
la cena y Mamá y Viney se hayan acomodado, me voy a dormir.

—Bien —dijo Papi y mirando a la tía Viney dijo: —¿Crees que puedas
cortar mis pantalones, Viney?

—¡Ay cuñado! —dijo la tía Viney—, me encantaría, sinceramente, pero
mis ojos me están molestando por haber manejado por tanto tiempo.
Necesito dormir un poco.

—Entiendo —dijo Papi y miró esperanzado a Mamá Grande
sosteniendo en alto sus pantalones nuevos.

—Lo siento, hijo —dijo Mamá Grande—. Tengo artritis en mis rodillas y es tan fuerte que casi no me puedo mover. Sólo quiero descansar esta noche.

—No hay problema —dijo Papi. Puso sus pantalones en la mecedora para remendarlos. Luego, salió al porche detrás de la casa para lavarse para la cena.

La abuela Chiquita llamó a todos para cenar. Cocinó todo, desde el pollo y el relleno hasta la torta de chocolate. La mesa parecía que se iba a doblar en el centro. La cena estuvo deliciosa pero estábamos tan cansados que la conversación no estuvo muy emocionante. Tan pronto Papi terminó de comer, se despidió de todos y se preparó para dormir.

La abuela Chiquita, Mamá Grande y la tía Viney generalmente chismean por un rato largo cuando se reúnen, pero esta vez las tres mujeres terminaron sus labores en silencio y se fueron a acostar. Mamá Grande y la tía Viney se adueñaron de mi cuarto. La abuela Chiquita hizo un camastro para mí en la cocina mientras yo me ponía mi pijama. Me quité los anteojos y los puse sobre la mesa.

Di vueltas entre las sábanas hasta que encontré un lugar suave donde acurrucarme. Podía escuchar a Papi roncando plácidamente y el suave ruido de la casa mientras todos se arreglaban para dormir.

Yo no estaba acostumbrado a dormir en la cocina y me dio un poco de miedo. El gabinete gigante de madera para guardar la vajilla de porcelana y la inmensa estufa negra de madera estaban en un rincón. El reloj de abuelo resollaba cada hora y sonaba a deshora. Luego de un rato, la luna comenzó a reflejarse lentamente dentro de la cocina y creó un foco de luz blanca brillante cerca de la mecedora. Yo pegué un brinco cuando la rama de un árbol rozó el mosquitero de la ventana. Apenas me estaba quedando dormido cuando vi algo de reojo.

Una silueta blanca pequeña se movía lentamente hacia la cocina. Al principio estaba tan asustado que dejé de respirar. Cerré mis ojos fuertemente y cubrí mi cabeza con las sábanas.

Me dije a mí mismo una y otra vez que los fantasmas no existen, pero no lo podía creer. Escuchaba aquello que se acercaba lentamente más y más. Debe haber rozado la mecedora porque la silla crujió suavemente una y otra vez. Mantuve la respiración hasta que sentí que iba a explotar. Escuché un tijereteo y el extraño sonido de la tela. Luego todo se calmó.

Todo estaba demasiado tranquilo. Después de una hora, que pareció una eternidad, me quité las sábanas de la cabeza. Finalmente abrí los ojos para ver por encima de la manta. El fantasma se había ido. Estuve tentado a ir a dormir en el suelo del cuarto de Papi y la abuela Chiquita.

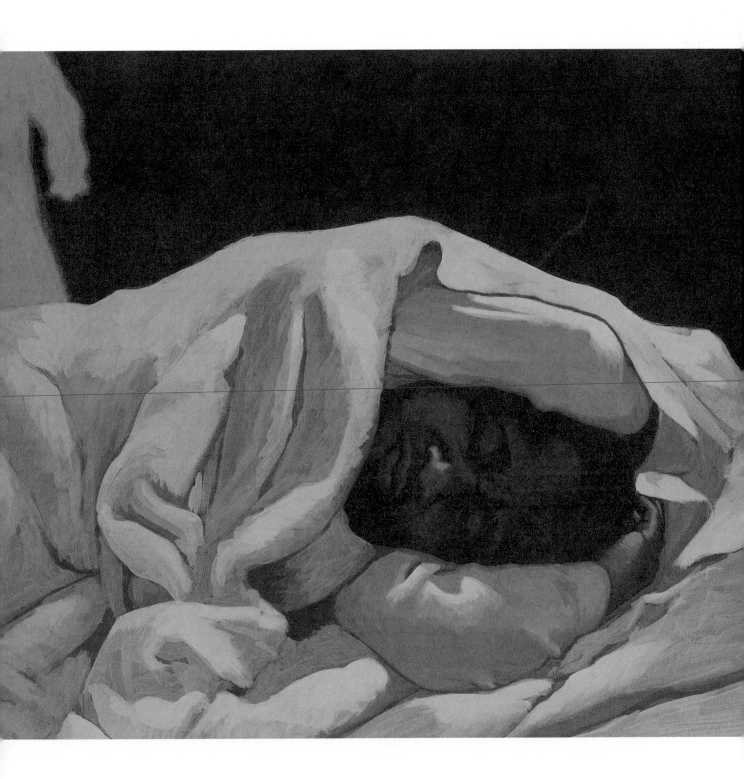

Me quedé tranquilo por un rato llenándome de valor. Justo cuando pensé que lo peor ya había pasado, vi una silueta blanca fantasmal, alta y delgada, deslizándose hacia la cocina. Me cubrí nuevamente la cabeza con las sábanas. Mi corazón latía tan fuerte como el del viejo Buck luego de una larga corrida. Escuché la mecedora crujir una y otra vez. Luego escuché un tijereteo y el sonido extraño de la tela. Después de un rato, todo se calmó de nuevo.

Desistí de la idea de ir al cuarto de Papi y la abuela. Mantuve mi cabeza cubierta con las sábanas y recé por que llegara la mañana. Debí haberme quedado dormido porque cuando abrí mis ojos no sabía dónde estaba. Hacía tanto calor que comencé a quitarme la manta de la cabeza, pero me acordé de los fantasmas.

Me descubrí la cabeza poco a poco. Me esforcé para abrir los ojos y observé lentamente la cocina. Un fantasma blanco grande se deslizaba a través de la puerta y se dirigía hacia mí.

Me acurruqué al pie del camastro. Estaba temblando como un cachorro mojado. Sentí algo que me rozaba con fuerza. Luego la mecedora crujió ruidosamente una y otra vez. Escuché el tijereteo y el sonido de la tela otra vez. Mis dientes castañeaban tan fuertemente que pensé que algunos se me caerían. Me quedé acurrucado bajo las sábanas como un armadillo por el resto de la noche.

—¡George! ¡George! —me despertó la voz de la abuela Chiquita a la mañana siguiente, mientras me quitaba las sábanas de la cabeza.

—¡Niño! ¿Por qué estás durmiendo cubierto con todas esas sábanas si hace tanto calor? —y antes de que yo pudiera responder dijo: —¡Anda a lavarte! Tenemos que apurarnos para llegar a la iglesia a tiempo.

La cocina estaba brillante con la luz amarilla del sol. Era la mañana y yo estaba vivo. Me miré cuidadosamente para asegurarme de que mi cuerpo estaba completo. Todo estaba en su lugar. Me puse los anteojos y tropecé medio dormido con la puerta. Papi ya estaba en el porche trasero afeitándose. Yo no quería decir nada sobre lo que había pasado la noche anterior. ¡Tres fantasmas en una noche! Nunca había escuchado algo semejante. Además, tal vez estaba soñando. La mecedora y todo lo demás en la cocina estaba en su lugar.

296

Entre dientes, le di los buenos días a Papi y me mojé la cara con agua fría. Acababa de terminar de cepillarme los dientes cuando la abuela Chiquita salió al porche.

—Papi —dijo—, apúrate y ven acá. ¡Hay una sorpresa para ti! —Mientras Papi entraba a la cocina, yo lo seguía detrás, preguntándome por qué el alboroto.

La abuela Chiquita, Mamá Grande y la tía Viney estaban alrededor de la mesa. Yo di los buenos días y me senté rápidamente. No quería darles la oportunidad a Mamá Grande y la tía Viney de besuquearme de nuevo. Además me costó mucho quitarme la pintura de labios de la cara. La abuela Chiquita tenía una sonrisa inigualable y sostenía los pantalones de Papi doblados en su brazo.

—Querido —dijo la abuela Chiquita—, estuve pensando en el maravilloso esposo que eres y en cuánto querías ponerte estos pantalones, así que me desperté anoche, corté seis pulgadas y les hice el dobladillo.

La sonrisa de Papi iluminó la cocina.

—¡Oh, no! —dijo la tía Viney—. Yo estuve pensando en el cuñado tan dulce que él es, así que me desperté anoche, le corté seis pulgadas a los pantalones y les hice el dobladillo también.

Papi dejó de sonreír y miró a la tía Viney.

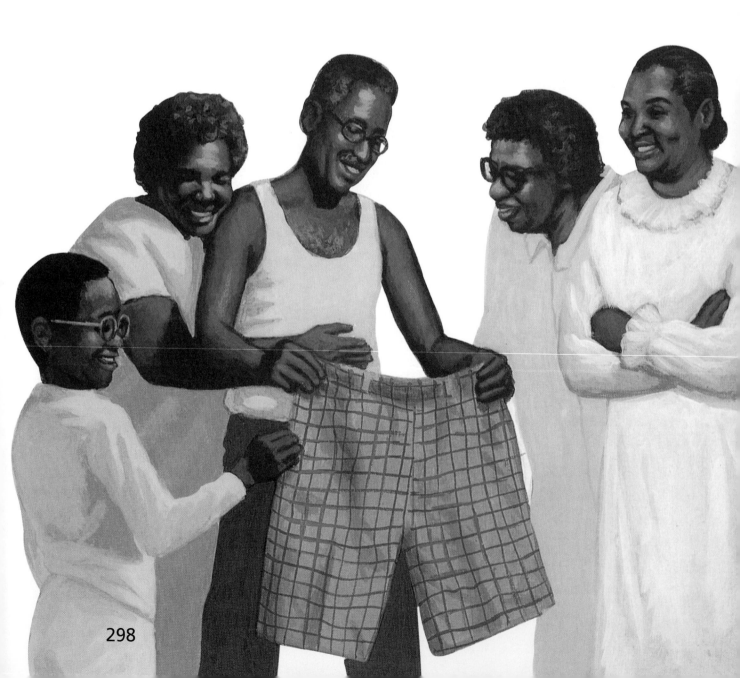

—Bueno, pues escuchen esto —dijo Mamá Grande—. Yo no podía dormir pensando en lo buen yerno que es, así que me levanté, le corté seis pulgadas a los pantalones y también les hice el dobladillo.

Me quedé boquiabierto. Así que ésos eran los fantasmas que me estaban asustando anoche.

Papi le quitó sus pantalones nuevos a la abuela Chiquita y se los puso sobre la cintura. Los lindos pantalones grises con diseño a cuadros rojos se desdoblaron ligeramente hasta sus rodillas.

Todos nos quedamos viendo lo que quedó de los pantalones nuevos de Papi. Papi bajó la cabeza y sostuvo los pantalones contra su pecho. Sus hombros delgados comenzaron a temblar. Luego, de repente, Papi estalló de la risa.

—Bueno, ahora estos pantalones no son tan largos —dijo.

Se los puso y nos sonrió. Luego bailó por la cocina con los pantalones cortos. Se veía tan gracioso que no aguantamos las ganas de reír. Después de un rato, se detuvo, casi sin aliento. La abuela Chiquita lo abrazó por la cintura.

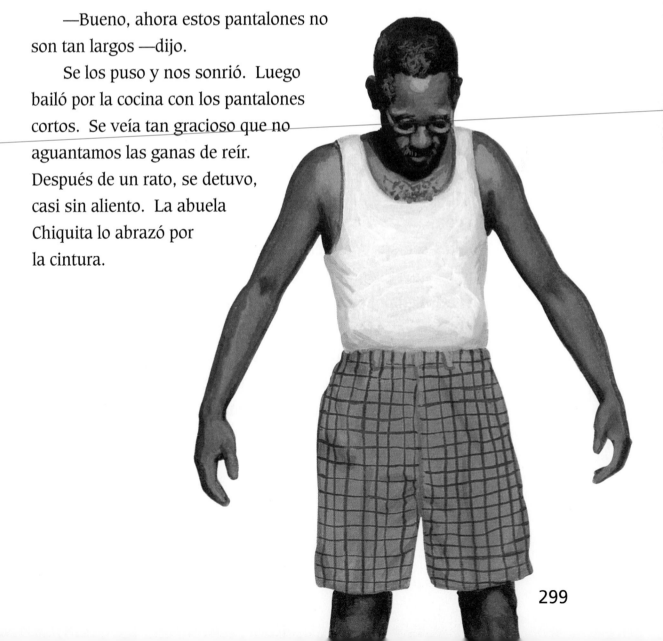

299

—Querido —dijo la abuela Chiquita dulcemente—, no te preocupes por esos pantalones viejos. La próxima vez que vayamos a la tienda, te ayudaré a escoger unos pantalones que te sirvan—. Papi la abrazó.

—¡Vámonos todos! —dijo Mamá Grande mirando el reloj—. Perderemos la sesión de escuela dominical pero todavía podemos llegar a tiempo a la iglesia.

Estuvimos corriendo por toda la casa para estar listos.

Nos paramos frente a la iglesia Rock Hill justo a tiempo para el servicio de las once. La abuela Chiquita, la tía Viney y Mamá Grande se veían muy bonitas con sus sombreros para los domingos. Pasaban por las puertas de madera de la iglesia como un jardín ambulante de flores. Papi también se veía muy bien a pesar de que tenía puestos los mismos pantalones negros que se pone todos los domingos. Y yo, debo decir, me veía muy elegante con mis pantalones nuevos grises con diseño a cuadros rojos.

Los "fantasmas" cortaron mucho los pantalones para Papi, pero me quedaron perfectos a mí.

Los pantalones nuevos de Papi

por Angela Shelf Medearis
ilustrado por John Ward

Piensa en la selección

1. ¿Por qué Papi no se molesta cuando se da cuenta de que los pantalones son muy cortos para él?

2. George usa anteojos. ¿Cómo afecta esto lo que pasa en el cuento?

3. ¿Qué pistas nos dan la autora y el ilustrador sobre lo que realmente pasa durante la intranquila noche de George?

4. ¿Cómo crees que George pudo haber averiguado quiénes eran los visitantes nocturnos misteriosos?

5. ¿Cómo muestran George, Papi y el resto de la familia que se preocupan los unos por los otros?

6. **Conectar/Comparar** Tanto en *Pepita habla dos veces* como en *Los pantalones nuevos de Papi* un problema genera otro problema. Explica cómo la decisión de cada personaje afecta los sucesos.

Narrar

Escribe un cuento gracioso

¿Qué otras cosas le pueden suceder a Papi? Tal vez necesita que le arreglen su camisa nueva o sus zapatos son muy grandes. Escribe tu propio cuento gracioso sobre Papi. Piensa en una solución inteligente para resolver el problema.

Consejos

- Para comenzar, haz un mapa del cuento.
- Escribe un principio que haga que la gente quiera seguir leyendo.
- Dale al cuento un título ingenioso.

Lectura **Identificar datos importantes**
Escritura **Escribir narraciones**

Matemáticas

Haz los pantalones de Papi

En un pliego de papel para manualidades, corta unos pantalones como los de Papi. Deben tener 48 pulgadas de largo de la cintura al dobladillo. Luego, usando la información en el cuento, marca tres líneas para mostrar dónde cada persona cortó los pantalones. Toma las medidas con cuidado. Si tienes tiempo decora los pantalones con un diseño a cuadros.

Estudios sociales

Compara tiendas de la comunidad

En un grupo pequeño, comenta en qué tienda de tu comunidad comprarías víveres, pantalones y herramientas para la granja. Si es posible, usa la lista en orden alfabético de las páginas amarillas de una guía telefónica. Luego, compara estas tiendas con la tienda a la que Papi y George van.

Internet

Resuelve un rompecabezas lógico

Visita Education Place y reúne pistas para ayudar a Papi y a George a resolver otra confusión descabellada. **www.eduplace.com/kids**

Matemáticas **Estimaciones y medidas**
Estudios sociales **Economía regional**

Destreza: Cómo leer una tira cómica

❶ Lee la tira cómica de izquierda a derecha.

❷ Lee las palabras dentro de cada globo de diálogo. La puntita del globo apunta al personaje que está hablando.

❸ Fíjate bien en las expresiones de las caras y los detalles de cada dibujo.

❹ ¡Ríete!

Estándares

Lectura

• **Identificar datos importantes**

• **Características de los personajes**

PROBLEMAS, PROBLEMAS

Igual que en los libros, los personajes de las tiras cómicas a veces tienen que resolver problemas. Cualquiera que sea el problema, ellos intentan resolverlo de una manera creativa y graciosa. A veces los personajes hallan soluciones, pero otras veces no. Lee estas tiras cómicas para ver cuáles problemas se resuelven y cuáles no.

Mafalda
por Quino

RABANITOS

POR CHARLES M. SCHULZ

BIEN, LO ÚNICO QUE TIENES QUE HACER ES SUJETAR ASÍ LA COMETA Y LUEGO SOLTARLA CUANDO YO TE DIGA...

¿PREPARADA?

¡YA! ¡SUÉLTALA!

¡MI COMETA! ¡MI PRECIOSA COMETA! ¡NO LA HAS SOLTADO! ¡TE DIJE QUE LA SOLTARAS Y NO LO HAS HECHO!

TE OLVIDASTE DE DECIR "POR FAVOR".

Mafalda
por Quino

RABANITOS

POR CHARLES M. SCHULZ

RABANITOS

POR CHARLES M. SCHULZ

Ramona empieza el curso

- agradable
- agotado
- golpe
- horribles
- incesante
- mal humor
- sombrío
- triste

Estándares

Lectura
- Aplicar conocimientos previos
- Identificar datos importantes

¡Que escampe! ¡Que escampe!

¿Qué puedes hacer en un día lluvioso, cuando todo está **sombrío** y deprimente? Adentro, escuchas el sonido **incesante** del **golpe** de la lluvia en la ventana. En estos días tan **horribles** te puedes aburrir e incluso entristecer. Deambular de **mal humor** por la casa te puede hacer sentir **agotado** y refunfuñón. Cuando quieres compañía pero nadie se comporta de una manera **agradable**, es difícil encontrar con quién jugar o hablar.

Pero no te pongas **triste**: los días lluviosos no tienen que ser malos. En el cuento que leerás a continuación, aprenderás lo que sucede cuando una familia pasa la tarde de un día domingo frío y lluvioso dentro de la casa.

Éstas son algunas cosas que puedes hacer para divertirte en un día lluvioso.

◀ Hornea cosas ricas.

Arma una tienda de campaña y haz un campamento *dentro* de tu casa.

Haz las manualidades que siempre has querido hacer.

Juega tu juego favorito o aprende un juego nuevo.

Lee un libro.

Beverly Cleary

La tarde de un domingo lluvioso, cuando Beverly Cleary estaba en tercer grado, se sentía aburrida. Ella decidió intentar leer un libro. Cleary nunca antes había disfrutado la lectura, pero este libro era tan interesante que ella no podía parar de leer. ¡Antes de acostarse leyó dos libros! Ese día lluvioso, Cleary se dio cuenta de que "los adultos tenían razón, después de todo. ¡La lectura era divertida!"

Otros libros: *Ramona's World, Beezus and Ramona, Ramona la chinche, The Mouse and the Motorcycle, Henry and Ribsy*

Alan Tiegreen

Alan Tiegreen ha ilustrado casi todos los libros de Beverly Cleary sobre Ramona Quimby. Ahora siente que los Quimby son sus amigos reales. Sentarse a dibujarlos es como una invitación a su casa. Cuando comienza a dibujar dice: "¡Hola, Ramona! ¡Hola, Beezus! ¡Qué bueno verlas de nuevo!"

Para aprender más acerca de Beverly Cleary y Alan Tiegreen, visita Education Place. **www.eduplace.com/kids**

BEVERLY CLEARY
RAMONA
empieza el curso

EDICIÓN EN ESPAÑOL

Estrategia clave

Al leer, **resume** cómo se siente Ramona al principio del domingo lluvioso y cómo cambian sus sentimientos en el transcurso del día.

Un domingo lluvioso

Los domingos lluviosos del mes de noviembre eran horribles, pero a Ramona le parecía que aquella tarde de domingo era la peor de todas. Pegó la nariz al cristal de la ventana del salón, viendo caer la lluvia incesante y las ramas negras y desnudas que hacían agitarse los cables eléctricos que había enfrente de la casa. Incluso la comida (las sobras con las que quería acabar la señora Quimby) había sido triste, porque sus padres habían hablado muy poco y Beezus estaba de un mal humor bastante misterioso. Ramona estaba deseando que saliera el sol, que se secaran las aceras, que se pudiera salir a patinar y que los de su familia se pusieran contentos y sonrientes.

—Ramona, no has ordenado tu habitación este fin de semana —dijo la señora Quimby, que estaba sentada en el sofá revisando un montón de facturas—. Y no pegues la cara a la ventana, que se queda la marca.

A Ramona le dio la sensación de que todo lo que hacía estaba mal. Todos estaban de mal humor, incluso *Tiquismiquis*, que se había puesto a maullar delante de la puerta. Soltando un suspiro, la señora Quimby se levantó para dejarle salir. Beezus, llevando una toalla y un bote de champú en la mano, atravesó el salón dando grandes zancadas y entró en la cocina, donde se puso a lavarse el pelo. El señor Quimby, que estaba estudiando en la mesa del comedor, como de costumbre, escribía frenéticamente. La televisión estaba oscura y silenciosa, y, en la chimenea, un tronco sombrío se negaba a arder.

La señora Quimby se sentó y volvió a levantarse al oír que *Tiquismiquis*, empapado e indignado con el mundo exterior, aullaba para que le dejaran entrar. —Ramona, ve a ordenar tu habitación —dijo su madre mientras dejaba entrar el gato y una ráfaga de aire frío en la habitación.

—Beezus tampoco ha ordenado la suya —dijo Ramona sin poder contenerse.

—No estamos hablando de Beezus —dijo la señora Quimby—. Estamos hablando de ti.

Ramona siguió con la cara pegada a la ventana. Ordenar su habitación le parecía aburridísimo, sobre todo en una tarde de lluvia como aquélla. Distraída, se puso a pensar en todas las cosas que le gustaría hacer —aprender a manejar un lazo, como los vaqueros, hacer música con un serrucho como los payasos, hacer piruetas en unas barras de gimnasia, mientras el público aplaude.

—¡Ramona, ve a ordenar tu habitación! —dijo la señora Quimby levantando la voz.

—Bueno, no hace falta que me grites —dijo Ramona.

Le daba rabia que su madre le hablara en ese tono. El tronco de la chimenea se movió, haciendo que saliera humo.

—Obedece y ya está —dijo la señora Quimby, enfadada—. Tu habitación es un auténtico desastre.

El señor Quimby tiró el lápiz encima de la mesa.

—Jovencita, haz caso a tu madre ahora mismo. No tiene por qué decirte las cosas tres veces.

—Bueno, pero no hace falta que se pongan así —dijo Ramona al tiempo que pensaba: "Bla, bla, bla".

Sintiéndose muy desgraciada, Ramona fue a su habitación y sacó de debajo de la cama los calcetines sucios que se habían acumulado durante una semana. De camino hacia el cesto de la ropa sucia que había en el cuarto de baño, miró por el pasillo y vio a su hermana de pie en el salón, secándose el pelo con una toalla.

—Mamá, eres mala —dijo Beezus desde debajo de la toalla.

Ramona se quedó escuchando.

—Me da igual ser mala o no —contestó la señora Quimby—.
He dicho que no vas y no vas.

—Pero todas las demás van —protestó Beezus.

—Me da igual que las demás vayan —dijo la señora Quimby—.
Tú no vas.

Ramona oyó el ruido de un lápiz dando un golpe en la mesa y a
su padre que dijo:

—Tu madre tiene razón. Y ahora, si no les importa, me gustaría
un poco de paz y tranquilidad para poder estudiar.

Indignada, Beezus pasó junto a Ramona, entró en su habitación
y se encerró dando un portazo. Luego se oyeron sollozos, sollozos
largos y enfurecidos.

"¿Dónde querrá ir?", se preguntó Ramona mientras metía el
montón de calcetines en el cesto de la ropa sucia. Luego, como ya
había ordenado su habitación, Ramona volvió al salón, donde
Tiquismiquis, igual de enfadado y aburrido que el resto de la familia,
estaba otra vez maullando delante de la puerta.

—¿Dónde quiere ir Beezus? —preguntó Ramona.

La señora Quimby abrió la puerta y al ver que *Tiquismiquis* dudaba, molesto por la ráfaga de viento helado que entraba desde fuera, le empujó suavemente con la punta del pie.

—Quiere quedarse a dormir en casa de Mary Jane con las de su clase.

Si hubiera sido el año pasado, Ramona hubiera dicho que le parecía muy bien que no la dejara ir, porque así su madre la querría más que a Beezus, pero este año sabía que a ella también le podía apetecer quedarse a dormir en casa de una amiga.

—¿Por qué no puede quedarse a dormir en casa de Mary Jane? —preguntó.

—Porque vuelve a casa agotada y de mal humor —contestó su madre, que se había quedado junto a la puerta, esperando.

El aullido de *Tiquismiquis* se mezcló con el ruido del viento, y cuando la señora Quimby abrió la puerta, volvió a entrar una ráfaga de aire frío.

—Teniendo en cuenta el precio del petróleo, es mejor no abrir mucho la puerta —comentó el señor Quimby.

—Si no dejo salir el gato, ¿te haces tú responsable de lo que pueda ocurrir? —preguntó la señora Quimby antes de terminar de responder a Ramona—: En esta familia hay cuatro personas y Beezus no tiene derecho a estropearnos el día porque haya estado despierta la mitad de la noche hablando de tonterías con las de su clase. Además, está en edad de crecer y necesita dormir bien.

Ramona estaba de acuerdo con su madre en que no había quien aguantara a Beezus después de una nochecita de ésas. Pero, por otra parte, quería ir preparando a su madre para cuando ella estuviera en la escuela intermedia.

—Puede que esta vez se duerman antes —sugirió.

—Ya lo creo —dijo su madre malhumorada—. Por cierto, Ramona, la señora Kemp no me lo ha dicho claramente, pero ha insinuado que te podías portar mejor con Willa Jean.

Ramona soltó un suspiro que pareció salirle de las suelas de sus zapatos. En su habitación, Beezus, que había agotado las existencias de sollozos auténticos, estaba haciendo un gran esfuerzo para que le salieran sollozos falsos, porque quería que sus padres supieran que eran malos con ella.

La señora Quimby ignoró los suspiros y los sollozos y continuó hablando:

—Ramona, sabes muy bien que tu deber en esta familia es llevarte bien con los Kemp. No es la primera vez que te lo digo.

¿Cómo iba Ramona a explicar a su madre que Willa Jean se había dado cuenta de que la lectura silenciosa prolongada consistía simplemente en leer un libro? Durante una temporada, Willa Jean se había empeñado en que Ramona le leyera en voz alta los libros aburridos que había en casa de los Kemp, los típicos libros que regalan a los niños las personas que no entienden nada de niños. Escuchó varios libros y acabó aburriéndose. Ahora insistía en jugar a las peluqueras. Ramona no quería que Willa Jean le pintara las uñas y sabía que si manchaban algo le iban a echar la culpa a ella. Se suponía que la señora Kemp tenía que hacerse cargo de Ramona, pero resultaba que Ramona había acabado haciéndose cargo de Willa Jean.

Ramona bajó la vista, volvió a suspirar y dijo:

—De verdad que lo intento.

Se daba pena a sí misma. Nadie la comprendía ni la apoyaba. Nadie en el mundo entero entendía lo difícil que era ir

a casa de los Kemp después de la escuela sin tener una bicicleta.

La señora Quimby se ablandó un poco.

—Ya sé que no es fácil —dijo, sonriendo a medias—, pero tienes que intentarlo.

Cogió las facturas y la chequera y se fue a la cocina, donde se sentó y se puso a hacer cheques.

Ramona fue al comedor para ver si su padre la consolaba un poco. Apoyó la mejilla en la manga de la camisa a cuadros de su padre y preguntó:

—Papá, ¿qué estudias?

El señor Quimby volvió a tirar el lápiz encima de la mesa.

—Estoy estudiando el proceso cognoscitivo infantil.

Ramona levantó la cabeza para mirarle.

—¿Qué es eso? —preguntó.

—Se trata de intentar entender cómo piensan los niños —le explicó su padre.

A Ramona no le hizo ninguna gracia que estuviera estudiando esa asignatura.

—¿Para qué estudias eso? —preguntó indignada.

Hay cosas que son privadas y cómo piensan los niños es una de ellas. No le gustaba nada la idea de que los mayores intentaran averiguarlo, espiando y rebuscando en libros gordísimos.

—Eso me gustaría saber a mí —dijo el señor Quimby, muy serio—. ¿Qué hago yo estudiando esto cuando tengo montones de facturas que pagar?

—Pues no lo estudies —dijo Ramona—. No era asunto suyo, pero como no quería que su padre dejara la universidad y volviera a trabajar de cajero, añadió rápidamente—: Puedes estudiar otras cosas, como los insectos en la fruta.

El señor Quimby sonrió y acarició a Ramona en la cabeza.

—No te preocupes, no creo que nadie consiga averiguar cómo piensas tú —dijo, tranquilizando bastante a Ramona, que se convenció de que sus secretos seguían a salvo.

El señor Quimby se quedó absorto, mirando la ventana y mordisqueando su bolígrafo. Beezus, que había decidido dejar de intentar llamar la atención lloriqueando, salió de su habitación con los ojos rojos y el pelo húmedo, dedicándose a pasear por la casa sin hablar con nadie.

Ramona se dejó caer en el sofá. Odiaba los domingos lluviosos, sobre todo éste, y estaba deseando que llegara el lunes, para poder escaparse a la escuela. Daba la sensación de que la casa había encogido y se había hecho demasiado pequeña para los Quimby y todos sus problemas. Intentó no pensar en las conversaciones que tenían sus padres cuando ellas estaban en la cama, conversaciones serias, de las que había oído lo suficiente como para saber que sus padres estaban preocupados por su futuro.

Ramona también tenía sus preocupaciones secretas. Le daba miedo que su padre se quedara encerrado en el almacén de congelados donde hacía tanto frío que a veces nevaba. ¿Y si a su padre le tocaba un pedido enorme y los señores que tenían pedidos pequeños acababan antes que él, se marchaban y cerraban la puerta sin querer? No podría salir y se congelaría. Bueno, pero eso no iba a pasar. "Pero puede pasar", insistía una vocecita que salía de algún rincón de su cabeza. "No seas tonta", dijo la vocecita. "Sí, pero...", empezó la vocecita otra vez. Y a pesar de esta preocupación, Ramona quería que su padre siguiera trabajando para que pudiera seguir en la universidad y acabar consiguiendo un trabajo que le gustara.

Mientras Ramona daba vueltas a sus problemas, la casa se había quedado en silencio, exceptuando el ruido de la lluvia y del bolígrafo con que escribía su padre. El tronco humeante se movió dentro de la chimenea, haciendo saltar unas chispas. Había empezado a anochecer y a Ramona le estaba entrando hambre, pero, por lo silenciosa que estaba la cocina, no parecía que hubiera nadie preparando la cena.

De repente, el señor Quimby cerró su libro y tiró el bolígrafo con tanta fuerza que rebotó en la mesa y cayó al suelo. Ramona dio un respingo. ¿Qué habría pasado?

—Bueno, en marcha —dijo su padre—. Nos vamos. Se acabó el mal humor. Vamos a salir a cenar fuera y vamos a sonreír, por mucho que nos cueste. ¿Está claro?

Las niñas miraron primero a su padre y luego se miraron una a la otra. ¿Sería verdad? Llevaban meses sin salir fuera a cenar. ¿No decían que andaban mal de dinero?

—¿Vamos a comer hamburguesas? —preguntó Ramona.

—Muy bien —dijo el señor Quimby, que parecía estar de buen humor por primera vez en todo el día—. ¿Por qué no? Vamos a tirar la casa por la ventana.

La señora Quimby entró en el salón con un montón de sobres listos para el correo.

—Pero Bob... —dijo.

—No te preocupes —dijo su marido—. Ya nos las arreglaremos. Durante la campaña de Navidad voy a estar más horas trabajando en el almacén y ganando más por hacer horas extras. No veo por qué no vamos a divertirnos de vez en cuando. Además, para comer hamburguesas no hay que ir a un restaurante de cuatro estrellas.

Ramona temía que su madre les diera un sermón sobre lo poco nutritivas que son las hamburguesas, pero no fue así. Todos olvidaron sus tristezas y su mal humor. Se cambiaron de ropa, se peinaron, encerraron a *Tiquismiquis* en el sótano y se metieron en el auto, que funcionaba muy bien con la nueva caja de cambios. Al llegar al *burger* más cercano, descubrieron que no eran la única familia a la que se le había ocurrido salir de casa en aquel día lluvioso, porque estaba abarrotado y tuvieron que esperar a que les dieran una mesa.

Mientras esperaban, los mayores y Beezus lograron sentarse, pero Ramona, que era la que tenía las piernas más jóvenes, tuvo que quedarse de pie. Se entretuvo tocando los botones de la máquina vendedora al son de la música que tocaban. Luego, se puso a bailar al ritmo de la canción y cuando acabó, hizo un giro y se encontró de bruces con un señor mayor que tenía el pelo gris y un bigote con las puntas vueltas hacia arriba. En cuanto a la ropa que llevaba —una camisa a flores, una chaqueta a rayas y unos pantalones de cuadros—, parecía que se había comprado cada cosa en una tienda diferente o en las liquidaciones, pero llevaba los pantalones bien planchados y los zapatos pulidos.

El señor, que iba muy tieso, hizo un saludo militar a Ramona y le dijo:

—Jovencita, ¿te has portado bien?

Ramona se quedó asombrada. Se dio cuenta de que se había puesto roja hasta la punta de las orejas. No sabía qué contestar. ¿Que si se había portado bien? Bueno... más o menos, pero ¿para qué quería saberlo? No era asunto suyo. No tenía derecho a preguntarle eso.

Miró a sus padres para que la ayudaran y descubrió que estaban muy sonrientes, esperando su respuesta. Y las otras personas que estaban esperando para sentarse también estaban pendientes de ella. Ramona frunció el ceño. No tenía por qué contestar si no quería.

La camarera salvó a Ramona de la situación al decir:

—Señor Quimby, mesa para cuatro.

Después guió a la familia hacia una mesa cuadrada, rodeada de un banco de plástico.

—¿Por qué no has contestado al señor? —preguntó Beezus, que estaba igual de divertida que los demás.

—Yo no hablo con desconocidos —contestó Ramona, muy digna.

—Pero estamos con papá y mamá —dijo su hermana con bastante mala idea.

—Acuérdense —dijo el señor Quimby mientras miraba el menú— de que vamos a divertirnos y sonreír, por mucho que nos cueste.

Ramona, indignada, cogió el menú. Puede que no se portara bien siempre, pero ese hombre no tenía ningún derecho a meterse en su vida. Al descubrir que estaba sentado, solo, en una mesa que había al otro lado del pasillo, le lanzó una mirada furibunda, a la que él contestó guiñando un ojo con cara divertida. Lo que faltaba. Ramona se enfureció aún más.

326

Al abrir el menú, hizo un descubrimiento importante. Ya no tenía que mirar los dibujos de las hamburguesas, las papas y el chile para decidir lo que quería comer. Ahora sabía leer. Estudió el menú detenidamente y al llegar al final leyó las palabras temidas: "Menú para niños menores de doce años". Luego, venía una lista de posibilidades: palitos de pescado, muslos de pollo, salchichas. A Ramona no le apetecía ninguna de esas cosas. Era la misma comida que había en la cafetería de la escuela.

—Papá —susurró Ramona—, ¿tengo que comer algo del menú para niños?

—Si no quieres, no —dijo su padre con una sonrisa comprensiva.

Ramona pidió lo más pequeño que encontró en el menú de los mayores.

En los *burger* sirven la comida muy deprisa, y a los pocos minutos la camarera trajo la cena de los Quimby: una hamburguesa con papas para Ramona, una hamburguesa con queso y papas para Beezus y su madre y una hamburguesa con chile para su padre.

Ramona mordió su hamburguesa. Qué buena. Caliente, blanda, jugosa, agridulce y bien sazonada. La salsa le chorreó por la barbilla. Se dio cuenta de que su madre iba a decirle algo, pero cambió de idea. Ramona se limpió la salsa con una servilleta de papel antes de que le llegara al cuello de la camisa. Las papas fritas, crujientes por fuera y blandas por dentro, le parecieron lo mejor del mundo entero.

La familia comió en un silencio muy agradable durante un tiempo, hasta que se les empezó a quitar un poco el hambre.

—Es verdad que viene bien cambiar de aires de vez en cuando —dijo la señora Quimby—. Nos hacía falta a todos.

—Sobre todo después de lo de... —Ramona iba a referirse al comportamiento de Beezus aquella tarde, pero acabó sonriendo y sentándose muy derecha en la silla.

—Pues yo no he sido la única que...

Beezus también se detuvo en mitad de la frase y sonrió.

Sus padres, que se habían empezado a poner serios, también esbozaron una sonrisa. De repente, todos se relajaron y sonrieron.

Ramona vio que el señor mayor estaba comiendo un chuletón. Le hubiera gustado que su padre tuviera bastante dinero para que ellos también pudieran comer chuletones.

Aunque le estaba gustando mucho su hamburguesa, Ramona no logró terminársela. Era demasiado grande. Se alegró de que su madre no le dijera que comía con los ojos. Su padre, sin comentar que no se había terminado la hamburguesa, pidió para ella el mismo postre que para los demás: tarta de manzana con helado y salsa de canela caliente.

Ramona comió lo que pudo y después de contemplar cómo la salsa de canela iba derritiendo el helado, miró al señor mayor, que parecía discutir con la camarera. Ella parecía sorprendida y enfadada a la vez. La música, la conversación de otros clientes y el ruido de platos y cubiertos hacían que fuera imposible oír la conversación.

Ramona vio a la camarera hablando con su jefe, que la escuchó y asintió con la cabeza. Al principio, Ramona había pensado que el señor no debía tener bastante dinero para pagar el chuletón que se había comido. Pero no se trataba de eso, porque después de oír lo que decía la camarera, dejó una propina bajo el borde de su plato y cogió la factura. Ante el asombro y la vergüenza de Ramona, se levantó, le guiñó un ojo y volvió a hacer un saludo militar. Luego se marchó. Ramona se quedó desconcertada.

Se volvió hacia su familia, cuyas sonrisas esta vez eran auténticas y no forzadas.

Dándose cuenta de ello, Ramona se atrevió a hacer la pregunta que le estaba dando vueltas en la cabeza:

—Papá, no vas a dejar de estudiar, ¿verdad?

El señor Quimby terminó de masticar la tarta de manzana que estaba comiendo antes de contestar:

—Ni hablar.

Ramona quería asegurarse.

—¿Y no vas a volver a trabajar de cajero y llegar a casa de mal humor? —preguntó.

—Bueno —dijo su padre—, no puedo prometerte que nunca vaya a volver a casa de mal humor, pero, si ocurre, te aseguro que no va a ser por haber estado de pie delante de una caja intentando acordarme de los cuarenta y dos cambios que ha habido en los precios mientras una fila de clientes, todos con prisa, esperan para pagar.

Ramona se quedó tranquila.

Cuando la camarera se acercó a los Quimby para ofrecer a los mayores una segunda taza de café, el señor Quimby dijo:

—La cuenta, por favor.

La camarera pareció avergonzarse.

—Es que... —se detuvo, indecisa—. Es la primera vez que ocurre algo así, pero resulta que su cena ya está pagada.

Los Quimby la miraron sorprendidos.

—Pero, ¿quién la ha pagado? —preguntó el señor Quimby.

—Un caballero que se ha marchado hace un ratito —contestó la camarera.

—Debe ser ese señor que estaba al otro lado del pasillo —dijo la señora Quimby—. Pero, ¿por qué nos habrá invitado? No le conocemos de nada.

La camarera sonrió.

—Me ha dicho que los quería invitar porque son una familia

muy simpática y porque echa de menos a sus hijos y a sus nietos.

Después de esta explicación, se dio la vuelta y desapareció, cafetera en mano, dejando a los Quimby anonadados, sin saber qué decir. ¿Una familia muy simpática? ¿Después de cómo se habían comportado todos aquel domingo?

—Un desconocido misterioso, como en los libros —dijo Beezus—. Yo creía que no existían de verdad.

—Pobre hombre, debe estar muy solo —dijo la señora Quimby mientras el señor Quimby metía una propina debajo del borde de su plato.

Aún bajo el impacto de la sorpresa, los Quimby se pusieron sus abrigos en silencio y atravesaron el estacionamiento encharcado hasta llegar al auto, que se puso en marcha a la primera y salió marcha atrás obedientemente. Mientras el parabrisas empezaba a moverse rítmicamente, la familia continuó en silencio, pensando en los acontecimientos del día.

—¿Saben una cosa? —dijo la señora Quimby pensativamente, mientras el auto salía del estacionamiento y bajaba por la calle—. Estoy de acuerdo con él. Somos una familia simpática.

—A veces —dijo Ramona, tan precisa como siempre.

—No hay nadie que sea simpático en todo momento —dijo su padre—. Y si lo hay, debe ser un aburrimiento.

—Ni siquiera sus padres son simpáticos siempre —añadió la señora Quimby.

Ramona estaba de acuerdo con ella, pero le sorprendió que lo admitiera. En cuanto a ella misma, Ramona estaba convencida de que, por dentro, era simpática siempre, pero, a veces, por fuera, su simpatía se le congelaba un poco. En esos momentos la gente no se daba cuenta de lo simpática que era en realidad. Quizá era porque al resto de la gente también se le congelaba la simpatía.

—Todos tenemos nuestros más y nuestros menos —dijo la señora Quimby—, pero procuramos llevarnos bien y salir adelante.

—Somos mejores que algunas familias que yo conozco —dijo Beezus—. Hay familias que ni siquiera cenan juntas —después de unos segundos, acabó confesando—: La verdad es que no me gusta mucho lo de dormir en un saco tirada al suelo.

—Ya lo sabía —dijo la señora Quimby, echando el brazo hacia atrás y dándole una palmadita en la rodilla—. Por eso he dicho que no te dejaba ir. En realidad, no te gusta, pero no querías admitirlo.

Ramona empezó a sentirse muy a gusto dentro de su abrigo, con el calor de la calefacción y rodeada de una familia tan simpática. Formaba parte de una familia unida y ya era lo bastante mayor como para que pudieran contar con ella, de manera que ella podía dejar de preocuparse —o intentar dejar de preocuparse —de muchas cosas. A Willa Jean... a partir de ahora iba a leerle en voz alta sus libros de lectura silenciosa prolongada, porque Willa Jean era suficientemente mayor como para entender la mayoría de ellos.

Eso la mantendría tranquila durante una temporada. La señora Ballenay... tenía cosas buenas y cosas malas. Ramona podía ir tirando.

—Lo del señor ese que nos ha pagado la cena ha sido como una especie de final feliz —comentó Beezus, mientras los Quimby, felices en su auto, atravesaban la lluvia y la oscuridad en dirección a su casa.

—Un final feliz por hoy —corrigió Ramona.

¿Quién sabía lo que podía ocurrir mañana?

Piensa en la selección

1. ¿Por qué el Sr. Quimby decide que la familia debe salir a cenar?

2. ¿Cómo hace Beverly Cleary que Ramona piense y actúe como una persona real? Da ejemplos del cuento.

3. ¿Crees que los Quimby son una familia simpática? Explica tu respuesta.

4. ¿Por qué crees que Ramona se siente feliz al final de la selección?

5. Explica que quiere decir Cleary con la última frase: "¿Quién sabía lo que podía ocurrir mañana?"

6. **Conectar/Comparar** En cada selección de este tema, ¿cómo se ayudan los miembros de cada familia a conseguir soluciones brillantes a los problemas?

Escribe una nota de agradecimiento

Cuando alguien es amable contigo debes agradecerle. Escribe una nota de agradecimiento que Ramona le pudo haber escrito al hombre que pagó la cena de los Quimby.

Consejos

- **Escribe la fecha en la parte superior de la nota.**
- **Comienza con un saludo.**
- **Finaliza con una conclusión y la firma.**

Matemáticas

Suma la cuenta de un restaurante

Fíjate en la página 327 para ver qué tipo de hamburguesa se comió cada uno de los Quimby. Suma los precios del menú de abajo.

Extra Añade cuatro pedazos de pastel de manzana, cuatro refrescos y cuatro tazas de café para hallar el total de la cena de los Quimby.

Menú del *burger*	
Hamburguesa y papas fritas	$5.75
Hamburguesa con queso y papas fritas	$6.25
Hamburguesas con chile	$7.50
Refresco	$1.00
Taza de café	$1.25
Pastel de manzana ..	$2.50

Escuchar y hablar

Representa cómo ordenar comida

Con un compañero, túrnate para representar a un cliente y a un camarero en un restaurante. Cuando representes al cliente, dile al camarero lo que quieres comer y tomar. Cuando representes al camarero, escucha con atención y escribe la orden. Para divertirte más, inventa un menú para que el cliente lo utilice.

Consejos

- **El camarero debería comenzar diciendo "¿Puedo tomar su orden?"**
- **Hablen claramente y trátense con cortesía.**

Haz una encuesta en Internet

A Ramona le encanta su cena del *burger*. Si pudieras escoger tu comida favorita, ¿cuál sería? Visita Education Place y vota por tus comidas favoritas. **www.eduplace.com/kids**

Matemáticas **Resolver problemas**
Escuchar/Hablar **Presentar interpretaciones dramáticas**

Destreza: Cómo leer una obra de teatro

❶ Lee el título. Fíjate en los **personajes** para ver quién está en la obra.

❷ Representa a un personaje. Las obras teatrales son para que la gente las represente, así que túrnate para leer el **libreto** en voz alta.

❸ Mientras representas tu papel, fíjate en la **acotación**. Ahí se describe la escenografía y las acciones de los personajes.

Henry y Ramona

basado en los libros de Beverly Cleary

dramatizado por Cynthia J. McGean

PERSONAJES

HENRY HUGGINS: niño muy serio de casi 11 años

BYRON MURPHY (MURPH): un "niño prodigio" de la edad de Henry

BEEZUS QUIMBY: niña de aproximadamente la edad de Henry, mejor amiga de Henry, muy sensata

RAMONA QUIMBY: hermana menor de Beezus, de aproximadamente 5 años, imaginativa y alborotadora

Acto I, Escena nueve

LUGAR: Calle Klickitat

(Un día lluvioso y nublado a principios del otoño. HENRY entra. MURPH entra con una bolsa llena de periódicos.)

MURPH: *(a HENRY)* Tú puedes hacer el reparto.

HENRY: ¿Que qué?

MURPH: Que puedes hacer el reparto.

HENRY: Es decir, ¿tú no lo quieres hacer?

MURPH: No.

HENRY: *(sospechando algo)* ¿Por qué?

MURPH: Por Ramona.

HENRY: ¿Ramona? ¡Si ella es tan sólo una niña!

MURPH: Yo sé, pero ella puede crear muchos problemas.

HENRY: No estoy seguro de que el señor Capper quiera que yo haga el reparto.

MURPH: Sí, él sí quiere.

HENRY: ¿Cómo lo sabes?

MURPH: Yo le pregunté. *(Pausa.)* Creo que no debí aceptar hacer ese reparto sabiendo que tú lo querías, pero tuve que hacerlo. Mi otro reparto quedaba muy lejos y necesitaba el dinero para comprarle más accesorios a Thorvo. Papá piensa que mi robot es una pérdida de tiempo y por eso tengo que comprar los accesorios yo mismo. Pero Ramona me ha causado tantos problemas que de todas formas yo habría perdido el reparto.

HENRY: Está bien, Murph, yo haré el reparto.

MURPH: *(aliviado)* Gracias. Aquí está el libro del reparto y los periódicos. *(Le da a HENRY la bolsa de periódicos.)*

HENRY: Murph, ¿tu papá de verdad piensa que Thorvo es una pérdida de tiempo?

MURPH: Sí. Creo que tendré que guardar todas esas cosas hasta que consiga cómo pagar por los accesorios. *(Pausa.)* Si todavía quieres hacer la línea telefónica privada, yo tengo la mayoría de las cosas. Y ya sé cómo construirla.

HENRY: ¿Sabes cómo hacerla?

MURPH: Sí.

HENRY: Bien.

MURPH: Nos vemos. Buena suerte con el reparto.

HENRY: Gracias. *(MURPH sale.)* ¡Imagínate! Un genio vencido por una niña de cinco años. Ella está en kindergarten. Yo no la voy a dejar atravesarse en mi camino. Tal vez yo no sea un genio, pero sí soy más inteligente que una niña de cinco años.

(HENRY *va a buscar su bicicleta. RAMONA entra y se sienta.*)

RAMONA: Hola.

HENRY: Hola, Ramona. *(Comienza a repartir los periódicos. RAMONA lo sigue y recoge todos los periódicos. HENRY la ve.)* ¡Mira, no hagas eso! ¡Dame esos periódicos!

RAMONA: ¡No! Los voy a repartir.

(Ella y HENRY comienzan a jalar los periódicos. Él toma los periódicos y ella arma un berrinche. BEEZUS entra.)

BEEZUS: ¡Ramona, se supone que debes estar en la casa!

RAMONA: *(agarrando a HENRY e intentando tomar los periódicos)* ¡Soy un repartidor de periódicos, como Henry y Murph!

HENRY: ¡Déjame! ¿sí?

BEEZUS: *(moviendo a RAMONA para que suelte a HENRY)* Lo siento, Henry. *(RAMONA llora.)* ¡Ramona, quédate *tranquila*! *(le dice a HENRY)* Mamá dice que ella debe quedarse en el cuarto hasta que se repartan los periódicos, pero ella se sale.

HENRY: Tenemos que hacer algo o perderé mi reparto.

BEEZUS: Hemos tratado, pero cuando queremos que ella no haga algo, a ella le dan más ganas de hacerlo. La única forma en que puedo hacer que ella haga lo que le digo es si le pido que finja... ¡un momento!

(BEEZUS y HENRY HENRY se miran mutuamente y se les ocurre una idea. Susurran entre ellos. RAMONA trata de escuchar y está feliz de ser el centro de atención.)

HENRY: Ya lo tengo. Quédate con Ramona, Beezus.

BEEZUS: Entiendo. *(HENRY sale detrás de su casa.)*

RAMONA: ¿Adónde va Henry?

BEEZUS: Ya verás.

RAMONA: ¡Yo TAMBIÉN quiero ir!

BEEZUS: Ramona, ¿cómo sabes que quieres ir si no sabes

adónde va?

RAMONA: ¡Pero QUIERO ir!

BEEZUS: Imagínate que estamos esperando el autobús. Cuando Henry regrese, significa que el autobús está aquí. ¿Entendido?

RAMONA: Henry no es un autobús, él es un repartidor de periódicos.

(HENRY regresa con una caja grande de cartón que parece la cabeza de un robo.)

HENRY: : ¡Hola, Ramona! ¿Te gustaría ser un robot como Thorvo? *(RAMONA afirma emocionada con la cabeza.)* Recuerda, un robot no se puede mover muy rápido y se sacude cuando camina. *(Él le pone a RAMONA la caja de cartón en la cabeza.)*

RAMONA: Clan, clan. *(Ella comienza a caminar lentamente y dando sacudidas, como un robo.)*

BEEZUS: Y los robots no pueden agacharse porque no tienen cadera.

RAMONA: Clan.

BEEZUS: ¡Henry, eres un genio!

HENRY: Tú fuiste quien pensó en lo de fingir.

BEEZUS: Es cierto. Bien, me parece que debes repartir unos periódicos.

HENRY: Sí. Mejor me voy. *(Él se va. RAMONA se despide de él como un robot.)*

RAMONA: Clan, clan.

HENRY: ¡Clan, clan, Ramona! *(HENRY sale. RAMONA le hace el ruido del robot a BEEZUS.)*

Escribir un cuento

En algunas pruebas se te pide que escribas un cuento sobre un tema en particular o sobre tus apuntes. Lee esta muestra de apuntes. Luego, utiliza los consejos para escribir un cuento.

> **Escribe un cuento sobre algunos estudiantes que tienen un problema en la escuela y sobre lo que pasa cuando intentan resolverlo.**

Éste es un esquema del cuento que un estudiante hizo.

Consejos

- Lee las instrucciones con atención. Identifica palabras clave que te indiquen sobre qué escribir.
- Imagina el cuento antes de escribirlo. Haz un esquema como ayuda.
- Cuando hayas terminado de escribir, revisa tu cuento.

Personajes	Ambiente	
Instructor Woods	Clase de educación física	
Luisa		

Problema		
Luisa se olvidó de sus calcetines.		
No puede hacer educación física.		

Comienzo	Continuación	Final
Se le olvida ponerse los calcetines.	Va a la clase de educación física. El instructor no la deja practicar.	Mamá pone los calcetines en su mochila.

Solución		
Luisa mantiene los calcetines en su mochila.		

Escritura — Escribir narraciones
Detalles que desarrollan la trama

Éste es un buen cuento que el mismo estudiante escribió usando el esquema del cuento.

Calcetines para la clase de educación física

El instructor Woods y Luisa tienen un problema en la escuela. Luisa siempre se olvida de traer calcetines para la clase de educación física. Eso está en contra de las reglas de educación física.

Cuando Luisa se despierta en la mañana, se viste y no se pone calcetines. Ella no tiene calcetines para la clase de educación física y el instructor Woods no la deja practicar. Esto la molesta y la hace llorar.

A veces Luisa recuerda que no tiene calcetines antes de la clase de educación física. Pero ella no puede conseguir calcetines en la escuela. Una vez ella llamó a su mamá, quien le trajo sus calcetines para que pudiera practicar. Ahora la mamá de Luisa pone un par de calcetines en la mochila de Luisa en caso de que se le olvide ponerse calcetines. Ahora Luisa puede practicar con nosotros en la clase de educación física.

El principio presenta a los personajes, el ambiente y el problema.

Los detalles le dan vida al cuento.

Casi no hay errores de mayúsculas, puntuación, gramática u ortografía.

El final te dice cómo se resuelve el problema.

Glosario

En este glosario encontrarás el significado de algunas palabras que aparecen en este libro. Las definiciones que leerás a continuación describen las palabras como se usan en las selecciones. En algunos casos se presenta más de una definición.

A

agradable
La palabra *agradable* está relacionada con *agradar*, que significa caerle bien a alguien.

aventurarse

a·ba·tir·se *verbo* Moverse repentinamente en forma curva: *Las gaviotas tienen que **abatirse** para agarrar pescados del agua.*

a·go·ta·do/a·go·ta·da *adjetivo* Muy cansado: *Pedro estaba **agotado** después de cargar las cajas pesadas.*

a·gra·da·ble *adjetivo* Amistoso: *María se sentó cerca de una niña muy **agradable**.*

al·re·de·dor *adverbio* Cerca de; al lado de: *Los árboles **alrededor** de la casa hacían mucha sombra.*

an·cla *nombre* Objeto de metal que es parte de un barco y se lanza desde la cubierta para mantener al barco en un solo lugar: *Lanzamos el **ancla** para que nuestro bote no chocara contra las rocas de la orilla.*

a·ni·ma·do/a·ni·ma·da *adjetivo* Lleno o llena de energía: *Las personas fueron **animadas** a ir al centro comercial para comprar los regalos.*

an·te·pa·sa·do *nombre* Miembros de la familia de los que venimos: *Helen y sus padres nacieron en los Estados Unidos, pero sus **antepasados** nacieron en China.*

a·pre·tu·ja·do *adjetivo* Cuando se está en un espacio muy pequeño y uno no se puede mover con facilidad: *Los viajeros estaban tan **apretujados** en el avión que no podían mover las piernas.*

a·ven·tu·rar·se *verbo* Hacer algo aunque sea arriesgado: *Ellos decidieron **aventurarse** en el bosque.*

a·zo·tar *verbo* Pegar con fuerza: *Luis sostenía su cometa firmemente mientras la dejaba **azotar** por el viento.*

C

can·sa·do/can·sa·da *adjetivo* Que necesita descansar, agotado o agotada: *Después de subir la montaña, los escaladores tomaron una siesta porque estaban muy **cansados**.*

cos·ta *nombre* Orilla del mar: *La foca se acercó a la **costa** y regresó al mar profundo.*

cos·tum·bre *nombre* Algo que un grupo de personas o una familia hace con frecuencia: *Comer pavo el Día de Acción de Gracias es una de las **costumbres** estadounidenses.*

D

de·sier·to/de·sier·ta *adjetivo* Deshabitado: *La casa estaba **desierta** desde hace mucho tiempo.*

des·po·bla·do/des·po·bla·da *adjetivo* Donde no vive nadie: *El explorador fue el primero que visitó las islas **despobladas**.*

di·se·ño *nombre* Dibujo o arte que adorna algo: *Las cortinas de mi cuarto tienen **diseños** a rayas.*

di·se·ño a cua·dros *nombre* Diseño que tiene rayas gruesas y finas de diferentes colores, que se cruzan y forman cuadros: *Martín se puso una bufanda con un **diseño a cuadros** antes de salir.*

dis·fru·tar *verbo* Sentir satisfacción o agrado por algo: *Luisa **disfruta** del sol de verano cuando va a la playa.*

E

en·chi·la·da *nombre* Tortilla doblada que envuelve un guiso de carne y está cubierta de salsa de tomate picante: *Julia aprendió a hacer unas **enchiladas** de pollo deliciosas en la clase de cocina.*

es·pa·ñol *nombre* Lengua que se habla en España, México y en la mayoría de América Central y América del Sur: *Mi primo creció en México y habla **español**.*

es·té·ril *adjetivo* Que no produce frutos ni cosechas: *Tenían que enviar comida a otros lugares porque la tierra era **estéril**.*

ex·te·nuan·te *adjetivo* Algo que agota o cansa demasiado: *Ana se acostó a dormir después de la carrera **extenuante** de diez millas.*

ex·tran·je·ro/ex·tran·je·ra *nombre* Persona de otro país o lugar: *Los estadounidenses son **extranjeros** en Europa.*

F

fil·trar *verbo* Pasar lentamente a través de agujeros pequeños: *Usamos una toalla para tapar el hueco de la puerta por donde se **filtraba** el aire frío.*

G

gol·pe *nombre* Choque de una cosa contra otra cosa: *Escuchamos el **golpe** de la pelota contra la pared.*

grie·ta *nombre* Apertura profunda o agujero: *Se hizo una **grieta** en el témpano de hielo antes de que se partiera.*

grieta

H

ha·cer el do·bla·di·llo *verbo* Doblar y coser el borde de algo: *Tengo que **hacerles el dobladillo** a mis pantalones porque son muy largos.*

ho·ri·zon·te *nombre* Línea donde parecen unirse el cielo y la tierra: *Jack observó la puesta del sol hasta que se escondió detrás del **horizonte**.*

horizonte

ho·rri·ble *adjetivo* 1. Algo que no es bonito: *Las máscaras para la noche de brujas son **horribles**;* 2. Algo que te hace sentir triste y aburrido: *Los días de lluvia me parecen **horribles**.*

lengua

La palabra *lengua* viene de la palabra lingua, que en latín se refiere al músculo de la boca.

I

in·ce·san·te *adjetivo* Que nunca para; continuo: *Kim jugó dentro de la casa todo el día pues caía una lluvia **incesante**.*

madriguera

in·fran·que·a·ble *adjetivo* Que no se puede cruzar o atravesar: *Las montañas eran **infranqueables** por lo que tuvimos que pasar por el borde.*

ins·tin·ti·va·men·te *adverbio* Cuando se reacciona de manera innata, no aprendida: *La mayoría de los perros trata de proteger a sus dueños **instintivamente**.*

L

lan·zar *verbo* Enviar con fuerza hacia arriba, como un cohete: *El nadador saltó en el trampolín antes de **lanzarse** a la piscina.*

len·gua *nombre* Lo que hablan o escriben los seres humanos: *Jessica estudió en una escuela de **lenguas** para aprender ruso.*

M

ma·dri·gue·ra *nombre* Hoyo o túnel bajo la tierra que los animales pequeños usan como nido o guarida: *Las comadrejas y los topos viven en **madrigueras**.*

mal hu·mor 1. *nombre* Lo que sientes cuando estás molesto: *La risa es lo mejor para combatir el* **mal humor**; 2. *adverbio* Estado mental de una persona: *El niño se puso de* **mal humor** *porque sus padres no lo dejaron comer galletas.*

mo·rir de ham·bre *verbo* Sufrir o tener mucha hambre: *Si no ponemos semillas para los pajaritos seguramente* **morirán de hambre**.

mue·lle *nombre* Lugar a donde llegan y de donde salen los botes y barcos: *El niño se paró en el* **muelle** *mientras ponían productos en los barcos.*

O

o·la *nombre* Onda larga en el mar abierto: *Las* **olas** *levantaron al nadador mientras nadaba en el mar.*

P

pa·sa·por·te *nombre* Documento oficial que autoriza a una persona para viajar a otros países: *Alicia tuvo que sacar el* **pasaporte** *para viajar a Brasil.*

pas·tar *verbo* Comer pasto: *Sacaron a las vacas para* **pastar**.

pe·li·gro·so/pe·li·gro·sa *adjetivo* Arriesgado: *Era* **peligroso** *caminar por el sendero cubierto de hielo.*

per·di·do/per·di·da *adjetivo* Quien está en un lugar desconocido y no sabe qué hacer: *Salimos a buscar a unos amigos que estaban* **perdidos**.

po·bla·ción *nombre* Número total de personas, plantas o animales que viven en un lugar determinado: *En clase hicimos un estudio de la* **población** *para aprender sobre las personas que viven en nuestro pueblo.*

po·bla·do *nombre* Nueva comunidad pequeña en un lugar: *Cuando llegan a un nuevo lugar, los pioneros constituyen un* **poblado**.

R

ras·ca·cie·los *nombre* Edificio muy alto: *El* Empire State *es un* **rascacielos** *muy alto en la ciudad de Nueva York.*

muelle

pastar

rascacielos

La palabra *rascacielos* se deriva de una traducción literal del término en inglés "skyscraper". Así se llamaban en inglés las velas más altas de un barco. Cuando se construyó el primer edificio de diez pisos, los escritores de esa época lo llamaron *rascacielos*, haciendo referencia a estas velas altas.

345

remendar
La palabra *remendar* viene de la palabra *enmendare* que significa "corregir" en latín.

surf

surf
Surf es una palabra que proviene del inglés.

témpano

terreno
La palabra *terreno* viene de la palabra terra que en latín significa tierra.

re·men·dar *verbo* Arreglar algo que se ha roto: *Si se rompen mis pantalones tengo que remendarlos.*

S

sal·sa *nombre* Mezcla de especias con tomates, cebollas y pimientos: *Hicimos una salsa para comer con los aperitivos.*

so·bre·vi·vir *verbo* Seguir con vida: *Las ballenas no pueden sobrevivir fuera del agua.*

som·brí·o *adjetivo* Sin ánimos, triste o aburrido: *No dejamos que ese día sombrío afectara nuestro viaje.*

surf *nombre* Correr con las olas del mar, usando una tabla rectangular: *Durante las vacaciones de verano, a Doug le gusta hacer surf.*

T

ta·co *nombre* Tortilla doblada rellena de queso, carne o pollo: *Ayer salí a cenar y me comí un taco con lechuga y tomate.*

ta·mal *nombre* Empanada de masa de maíz rellena de guiso de carne hecho con pimientos rojos y harina de maíz: *Cuando voy a mi restaurante mexicano favorito, me gusta pedir tamales.*

te·la *nombre* Material que se hace tejiendo hilos o fibras: *La tela de la camisa de Ana es de algodón.*

ten·der·se *verbo* Colgar: *La ropa se tendía para que se secara.*

tém·pa·no de hie·lo *nombre* Un trozo grande y plano de hielo flotante: *Los osos polares saltan de los témpanos de hielo al agua congelada para cazar.*

te·rre·no *nombre* Cualquier extensión, sitio o espacio de tierra o suelo: *Era difícil escalar a través del terreno rocoso.*

te·rri·to·rio *nombre* Extensión de tierra; región: *Los osos vagan por su territorio en busca de alimento.*

tor·ti·lla *nombre* Masa redonda asada preparada con harina de maíz y agua: *Mi abuela me preparó una deliciosa tortilla.*

tris·te *adjetivo* Sin entusiasmo o esperanzas: *En vez de ponerse triste porque sacó una mala calificación en la prueba, Matt decidió estudiar más para la próxima prueba.*

V

va·gar *verbo* Moverse de un lugar a otro sin una razón en particular: *Muchas personas generalmente vagan por los centros comerciales cuando van de compras.*

ven·de·dor *nombre* Persona que vende algo: *En Chicago puedes comprarle un perro caliente a un vendedor en la calle.*

via·je *nombre* Recorrido de un lugar a otro; paseo: *Los astronautas recorrieron el espacio durante su viaje a la Luna.*

vi·si·tar los lu·ga·res de in·te·rés *verbo* Acto de ir o pasear por lugares interesantes: *Cuando Marcos llevó a sus amigos a visitar los lugares de interés en Washington, D.C. todos fueron a ver el Monumento a Washington.*

vendedor

Acknowledgments

"¡Atiza! ¡En mi vida había visto…!," from *Bienvenido Charlie Brown*, by Charles M. Schultz. Peanuts © United Feature Syndicate, Inc. Reprinted by permission of United Feature Syndicate, Inc.

¡Atrapados por el hielo!, originally published as *Trapped by the Ice!: Shackleton's Amazing Antarctic Adventure*, by Michael McCurdy. Copyright © 1997 by Michael McCurdy. Translated and reprinted by permission of Walker & Co.

"Aves en la Gran Manzana," originally published as "Big-Apple Birding," by Radha Permaul, with Arthur Morris from Ranger Rick magazine, March 1992 issue. Copyright © 1992 by the National Wildlife Federation. Translated and reprinted with the permission of the publisher, the National Wildlife Federation.

"Bien, lo único que tienes que hacer…," from *Bienvenido Charlie Brown*, by Charles M. Schultz. Peanuts © United Feature Syndicate, Inc. Reprinted by permission of United Feature Syndicate, Inc.

Dos días en mayo, originally published as *Two Days in May*, by Harriet Peck Taylor, pictures by Leyla Torres. Text copyright © 1999 by Harriet Peck Taylor. Illustrations copyright © 1999 by Leyla Torres. Translated and reprinted by permission of Farrar, Straus and Giroux, LLC.

El viaje de Yunmi y Halmoni, originally published as *Yunmi and Halmoni's Trip*, by Sook Nyul Choi, illustrated by Karen Dugan. Text copyright © 1997 by Sook Nyul Choi. Illustrations copyright © 1997 by Karen Dugan. Translated and reprinted by permission of Houghton Mifflin Company.

"Fiesta de Pájaros," by Francisco Morales Santos from *Poemas con sol a son*. Text copyright © Francisco Morales Santos. Reprinted by permission of Farben Grupo Editorial Norma.

"Gaviota," by Baldomero Fernandez Moreno from *Antología: 1915-1940*. Copyright © Baldomero Fernandez Moreno. Reprinted by permission of Espasa-Calpe, S.A., Madrid.

Selection from "Globo," by Eduardo Hurtado. Copyright © 1991 by Eduardo Hurtado. Reprinted by permission of the author.

"Henry y Ramona," adapted by Cynthia McGean. Copyright © 1952 by Beverly Cleary. Dramatized play copyright © 1964 by Cynthia J. McGean. Used by permission of HarperCollins Publishers.

"Jóvenes viajeros: la niñez de un fundador." Grateful acknowledgment is given to the Plimoth Plantation for the printed resource material that were provided for informational purposes.

La foca surfista, originally published as *Seal Surfer*, by Michael Foreman. Copyright © 1996 by Michael Foreman. First published by Andersen Press, Ltd. London under the title "Seal Surfer," published in the USA by Harcourt Inc. Translated and reprinted by permission of Andersen Press, Ltd. All rights reserved.

"La vida es difícil,…" from *Bienvenido Charlie Brown*, by Charles M. Schultz. Peanuts © United Feature Syndicate, Inc. Reprinted by permission of United Feature Syndicate, Inc.

"Las canciones de mi abuela/My Grandma's Songs," from *Laughing Tomatoes and Other Spring Poems/Jitomates risueños y otros poemas de primavera*, by Francisco X. Alarcón, illustrated by Maya Christina González. Poems copyright © 1997 by Francsico X. Alarcón. Illustrations copyright © 1997 by Maya Christina González. Reprinted with the permission of the publisher, Children's Book Press, San Francisco, CA.

Las noches de los frailecillos, originally published as *Nights of the Pufflings*, by Bruce McMillan. Copyright © 1995 by Bruce McMillan. Translated and reprinted by permission of Houghton Mifflin Company.

"Los dos peces," by Dora Alonso. Copyright © Dora Alonso. Reprinted by permission of Agencia Literaria Latino Americana.

Los pantalones nuevos de Papi, originally published as *Poppa's New Pants*, by Angela Shelf Medearis, illustrated by John Ward. Text copyright © 1995 by Angela Shelf Medearis. Illustrations copyright © 1995 by John Ward. All rights reserved. Reprinted by permission of Holiday House, Inc.

"Me gusta montar mi bicicleta/I Like to Ride My Bike," from *Sol a sol: Bilingual poems*, written and selected by Lori Marie Carlson. Text copyright © 1998 by Lori Marie Carlson. Reprinted by permission of Henry Holt and Company, LLC.

"Oso polar," by J. González Estrada. Text copyright © J. González Estrada. Every effort has been made to locate the rights holder of this selection. If the rights holder should see this notice, please contact School Permissions at Houghton Mifflin Company.

"Pedacito de nopal/Little Piece of Prickly Pear," from *My Mexico/México Mío*, by Tony Johnston. Copyright © 1996 by Tony Johnston. Used by permission of G.P. Putnam's Sons, an imprint of Penguin Putnam Books for Young Readers, a division of Penguin Putnam Inc.

Pepita habla dos veces/Pepita Talks Twice, by Ofelia Dumas Lachtman. Text copyright © 1995 by Ofelia Dumas Lachtman. Reprinted with permission from the publisher, Arte Publico Press-University of Houston.

Por el inmenso mar oscuro, originally published as *Across the Wide Dark Sea: The Mayflower Journey*, by Jean Van Leeuwen, illustrated by

Thomas Allen. Text copyright © 1995 by Jean Van Leeuwen. Illustrations copyright © 1995 by Thomas B. Allen. Text translated and reprinted by permission of Sheldon Fogelman Agency Inc. Illustrations published by arrangement with Dial Books for Young Readers, a division of Penguin Putnam Inc.
Ramona empieza el curso, originally published as "*Rainy Sunday*," from *Ramona Quimby, Age 8*, by Beverly Cleary, illustrated by Alan Tiegreen. Copyright © 1981 by Beverly Cleary. Translated and reprinted by permission of HarperCollins Publishers.
"*Trabajo en el mar*," originally published as "*I Work in the Ocean*," by Kristin Ingram from Spider magazine, January 1998 issue, Vol. 5, No. 1. Copyright © 1998 by Kristin Ingram. Translated and reprinted by permission of the author. Cover copyright © 1998 by Carus Publishing Company. Cover reprinted by permission of *Spider* Magazine.
"*Vamos a ver, Miguelito, ¿8x9?*," and "*Veinticinco*," from *Toda Mafalda*, by Quino. Copyright © 1993 by Joaquín Salvador Lavado (Quino). Reprinted by permission of Ediciones de la Flor, Argentina.

Additional Acknowledgments

Special thanks to the following teachers whose students' compositions appear as Student Writing Models: Cindy Cheatwood, Florida; Diana Davis, North Carolina; Kathy Driscoll, Massachusetts; Linda Evers, Florida; Heidi Harrison, Michigan; Eileen Hoffman, Massachusetts; Bonnie Lewison, Florida; Kanetha McCord, Michigan.

Photography

3 Arthur C. Smith III/Grant Heilman. **5** (br) SuperStock. **7** AP/Wide World Photos. **10** (icon) Artville. **10-11** © Michio Hoshino/Minden Pictures. **16-17** (bkgd)©Hubert Stadler/Corbis. **17** (t) © Sigurgeir Jonasson. (b) © James P. Rowan. **18** (tc) Benner McGee, ©1995 Bruce McMillan. **35** (br) Arthur C. Smith III/Grant Heilman. **36-9** © Arthur Morris/BIRDS AS ART. **40** © Kit Kittle/CORBIS. **41** © Clem Haagner; Gallo Images/CORBIS. **42** © Lynda Richardson/CORBIS. **43** (t) © James L. Amos/CORBIS. **44** (starfish) © 2002 PhotoDisc Inc. (c) © Rick Rusing/Getty Images. (bl) ©Roger Tidman/CORBIS. **44-5** ©Bill Ross/CORBIS. **45** (cl) ©Art Wolfe. (br) ©Phil Schermeister/CORBIS. **46** ©Ron Sutherland. **65** (br) A.K.G., Berlin/SuperStock. **66-9** (all) ©Norbert Wu. **70** (bl) © Erwin and Peggy Bauer. **70-1** © Daniel J. Cox/Natural Exposures. **72** (bkgd) W. Cody/CORBIS. **93** (bl) John Crispin/Mercury Pictures. (tr) Eric Bakke/Mercury Pictures. **102** (banner) ©Ken Reid/Getty Images. **102-3** ©James Randklev/Getty Images. **104-107** (bkgd) ©Ken Reid/Getty Images. **108** (bl) Courtesy of the Pilgrim Society, Plymouth, Massachusetts. **109** (t) Photo by Bert Lane/Plimoth Plantation. (b) Courtesy of the Pilgrim Society, Plymouth, Massachusetts. **110** (tl) Photo by David Gavril from *Growing Ideas* published by Richard C. Owens Publishers, Inc., Katonah, NY 10536. (tr) Courtesy, Thomas B. Allen. **133** (br) SuperStock. **136** (tl) Photo by Ted Curtain/Plimoth Plantation. (b) Photo by Ted Avery/Plimoth Plantation. **137** (t) ©Dorothy Littell Greco/Stock Boston. (c) (b) ©Russ Kendall. **140** (b) ©Wolfgang Kaehler/CORBIS. **141** (tl) (br) ©Kevin R. Morris/CORBIS. **142** (t) Jesse Nemerosfsky/Mercury Pictures (b)Courtesy Karen Dugan. **164** Geese in Flight, Leila T. Bauman, Gift of Edgar William and Bernice Chrystler Garbisch, ©2000 Board of Trustees, National Gallery of Art, Washington. **165** Giraudon/Art Resource, NY. **166** Erich Lessing/Art Resource, NY. **167** (t) Scala/Art Resource, NY. (b) Art Resource, NY. **168** Scott Polar Research Institue, Cambridge, England. **169** © Galen Rowell/Mountain Light. **170** Courtesy Michael McCurdy. **171** (bkgd) G. Ryan & S. Beyer/ Getty Images. **200** (bl) ©2002 PhotoDisc Inc. **200-1** (banner) G. Ryan & S. Beyer/ Getty Images. **201** (bl) SuperStock. **202** (tr) Scott Polar Research Institute, Cambridge, England. (b) ©Royal Geographical Society, London. **203** Scott Polar Research Institute, Cambridge, England. **204** (tl) ©Royal Geographical Society, London. (cl) ©Roal Geographical Society, London. **204-5** (b) ©Royal Geographical Society, London. (t) Scott Polar Research Institute, Cambridge, England. **205** (c) ©Royal Geographical Society, London. **206-7**(banner) ©Ken Reid/Getty Images. **208-9** AP/Wide Wold Photos. **210** Corbis/Bettmann. **211** Corbis/Bettmann. **212** Corbis/Bettmann. **213** (t) Corbis/Bettmann. (b) Underwood & Underwood/CORBIS. **214** (tr) AP/Wide World Photos. (bl) Corbis/Bettmann.

215 Zaharias Collection, Special Collections/Mary & John Gray Library/Lamar University, Beaumont, Texas. **216** Jeff Arnold/Bill Melendez Productions. **217** Photofest. **218** ©2002 PhotoDisc, Inc. **219** Photofest. **220** Photofest. **221** Everett Collection. **222** Underwood & Underwood/CORBIS. **223** Security Pacific Collection/Los Angeles Public Library. **224** CORBIS. **225** Museum of Flight/CORBIS. **226** The Lilly Library, Indiana University, Bloomington. **227** USPS. **228** Corbis/Bettmann. **229** AP/New York Times Pictures. **230** Corbis/Bettmann. **231** AP/New York Times Pictures. **232** AP Wide World Photos. **233** (t) Corbis/Bettmann. (b) AP/Wide World Photos. **234** (l) AFP/Corbis. (cl) Flip Schulke/CORBIS. (cr) NASA/CORBIS. (r) Corbis/Bettmann. **242** (b) Power Photos. **243** (cl) ©Eric and David Hosking/CORBIS. (bl)Corbis Royalty Free. (br) ©2002 PhotoDisc, Inc. **244** (tl) Michael Justice/Mercury Pictures. (tr) Courtesy, Mike Reed. **282** (t) Andrew Yates/Mercury Pictures. (b) ©Tom Sciacca. **310** (t) Alan McEwen, 1999. (b) M.W. Thomas. **342** © Kevin R. Morris/CORBIS. **344** (t) ©Lowell Georgia/CORBIS. (m) © Gary Braasch/CORBIS. (b) ©Kevin Schafer/CORBIS. **345** (t) © Judy Griesedieck/CORBIS. (m) ©Darrell Gulin/CORBIS. (b) © Kit Kittle/CORBIS. **346** (t) © Tony Arruza/CORBIS. (b) © Dan Guravich/CORBIS. **347** © Catherine Karnow/CORBIS.

Assignment Photography
34 (bl), **35** (ml), **64** (bl), **65** (ml), **95** (ml), **132** (b), **133** (ml), **163** (ml, mr), **201** (mr), **273** (tr), **303** (ml, mr), **334** (bl) Jack Holtel. **101, 207, 243** (tr), **341** Tony Scarpetta. **243** (tl) Banta Digital Group. **204–5, 280–1, 308–9, 337–9** Joel Benjamin.

Illustration
93 Dick Cole. **96–99** Marc Mongeau. **134-135, 136-137**(bkgd) Luigi Galante. **236-237** Alfred Schrier. **245**(i) Alex Pardo DeLange. **246-271** Mike Reed. **274-275** Karen Blessen. **311**(i), **312-333** Alan Tiegreen.